西谷流 地球の歩き方 下

アフガニスタン&ヨーロッパ、アフリカの片隅で

西谷文和

かもがわ出版

はじめに

2010年1月、アフガニスタン東部のジャララバードに入った。ジャララバードは西から流れくるカブール川と北からのクナール川合流点に栄えた歴史的都市。ここまでくれば、ほんの数時間のドライブでパキスタンのペシャワールだ。しかし現実は残酷だった。アフガン・パキスタン国境では連日のように米軍の空爆とタリバンのテロが繰り返されていて、国境付近は「決して足を踏み入れてはいけない場所」になっていた。

パキスタンを諦めてクナール川を北へ進む。遥か彼方に5千メートル級のヒンズークシュ山脈が見える。なぜ私はクナール川を遡って行ったのか？　それは「もしそこにお墓があれば、お参りさせてもらいたい」からだった。

08年8月、NGO「ペシャワール会」の伊藤和也さん（享年31）が武装勢力に殺害された。アフガン農民と一緒に用水路建設や農地開拓などに励んでいた伊藤さん、その奮闘に敬意を表して花を手向けようと思ったのだ。「ミスター・イトーのことなら、あそこの事務所で聞くといいよ」。地元住民の案内で、とある平

ジャララバードで、中村哲さんと

屋建ての質素な家屋へ。

「やぁ、よく来たね」。久しぶりに聞く日本語と共に現れたのが中村哲さんだった。「ほ、本物や」。医師でペシャワール会現地代表の中村さん。『医者、井戸を掘る』『医者 用水路を拓く』などの著書があり、前から大ファンだった私はこの思いがけない出会いに感激した（前頁の写真）。

中村さんの案内で用水路建設工事現場へ。草木一本も生えない茶色の大地を進む。砂埃をあげてジープが丘を駆け上がり、峠を越える。眼下に広がったのは…。緑だ、緑の大地が広がっている。クナール川から引き込まれた水が、砂漠を緑に変えている。

「この辺りは急激に砂漠化したんです。大干ばつに襲われてみんなパキスタンへ逃げました」。中村さんによると、戦争も原因の1つだがもっと大きな問題は干ばつだという。

なぜ干ばつに？ その答えは気候変動。かつてはヒンズークシュの山々に降り積もった雪が春になって流れ出し、麓の大地を潤していた。しかし温暖化の影響で冬の雪が雨になり、春を待たずに流れ去ってしまう。肝心の春先に水がなくなれば農業はできない。難民たちは「戦争難民」であり「気候難民」であった。

「もう井戸ではダメ、川からの直接水を引き込むしかない」。中村さんがクナール川から用水路建設を決意したのは03年3月19日。米軍がイラク戦争を始める1日前だった。それから7年、このガンベリー砂漠に用水路が通り、黄色い大地が緑に、小麦畑に変貌した。いつしかこの用水路はマル・ワリード（現地語で真珠）と呼ばれるようになった。「用水路は全長24・3キロ。この水路だけで約15万人の命が救われます」。ボソボソっと語る中村さん。「もっと自慢してもいいのに」と思うが、偉大な事業を当然のように語るのが中村さんのスタイル。かっこええなー。

マルワリード用水路から広大な砂漠に水路を延ばす建設工事が進んでいる。人々が手作業で支流になる水路を建設している（写真）。「600人を雇っています。『水路ができた』と聞いて、彼らは戻ってきたのです」。カメラを向けるとみんな笑顔で応えてくれる。「これで家族を養える」。この用水路は人々を笑顔にし、難民を農民に変えていく。ここからマルワリード用水路を遡ってみよう。用水路は、はげ山の中腹を走る。「高いところを通せば、水路からの浸透水がふもとへ。ご覧なさい、あそこもここも小麦畑になっているでしょ」。石造りの用水路では約7割の水が下流に運ばれ、3割が地下に浸透する。だから水路より低い土地に地下水が行き渡り、砂漠が緑になる。私たちの姿に気付いた農民たちが手を振っている。「アメージング（素晴らしい）」。通訳のイブラヒームが感動している。「治安も良くなったんですよ。みんな農業で食えますからね」。そうなのだ、飢餓から解放されれば人々は争わない。武器の代わりに小麦があればアフガニスタンは平和になるのだ。

用水路建設と共に進めてきたのがモスクと学校の建設だった。なんと設計者は中村さんご自身。「建築の勉強をされていたのですか?」「いえ、私は医者ですから。日曜大工が得意だったんで」。ボ

手作業で水路を掘る

ソッとつぶやくように答えてくれる。「校舎ができればその隣に学生寮を作って、孤児を引き取るつもりです。この国は孤児が多いので」。普段はボソボソと話す中村さんだが、話題が子どものことになると笑顔になる（写真）。

この写真を撮影してから3週間後、マルワリード用水路の貫通式と学校、モスクの開所式が行われた。大柄なアフガンの州知事に抱きかかえられた小柄な中村さんの映像が世界に発信された。集まった人々はみんな笑顔だった。中村さんは現地の人々に愛されている。今後も素晴らしい活動を続けていかれるだろう…。映像を見ながら、そう確信した。

2019年12月4日午前8時、いつものように仕事に向かった中村さんが、5人のアフガン人スタッフとともに凶弾に倒れてしまった。私たちはもっとも失ってはならない人を奪われてしまったのだ。いったいなぜ？

私は、犯人はタリバンではないと思っている。タリバンは中村さんの素晴らしい活動を理解していたし、今まさに米軍と和平交渉中であって、殺害する理由はない。個人的にはIS（イスラム国）か、ISの思想に感化された軍閥ではないかと思う。つまり「俺たちこそ反米だ！」と主張したいグループだ。

モスクの前で笑顔を見せる中村哲さん

米軍は今もアフガン・パキスタン国境周辺を無人機で空爆している。地球の裏側、ラスベガス近郊の空軍基地から電波で操作して空爆するのだ。当然誤爆が多発し無辜の民衆が殺害されていく。こんなことをすれば反米感情が高まるのは当然で、「そんなアメリカに協力する日本も敵だ。俺たちこそが米軍と戦う集団なのだ」という政治的メッセージを発信しようとしたテロリストたちの仕業だと考える。

安倍首相とトランプ大統領が仲良くゴルフする映像は、アルジャジーラやBBCなどで瞬時に流されてしまう。当然「日本も敵になった！」と思う軍閥もいるはずだ。

つまり中村さんは直接的にはテロで暗殺されたのだが、間接的には米軍の空爆と安倍首相の無節操なパフォーマンスで死に追いやられたのだと思う。中村さんが米軍や安倍首相とは対極の平和主義者で憲法9条の擁護者であることを全く知らない、無分別な殺害者集団を許してはならない。

中村さんの遺志は、ここでくじけずに用水路を完成させていくこと、だと思う（建設を中止すれば、それこそ「テロに屈した」ことになる）。幸い、中村さんの指導のもとに現地の人々は工事の方法を学んでいる。重機の運転者も水路設計に携わった人もいる。今はスカイプ会議もメール会議もできるので、福岡のペシャワール会と現地の人々が相談の上で事業を継続してくれることを願う。私もできるだけ早期にアフガニスタンに入って、用水路事業の継続を取材するつもりだ。それが私にできる一番の供養だと思っている。中村さんに感謝しつつ、この本をスタートさせたい。この悲しみや怒りを、笑いやユーモアに変えて突然の死を乗り越えていくのだ。第1章は当然アフガニスタンになる。

西谷流地球の歩き方〈下〉
アフガニスタン&ヨーロッパ、アフリカの片隅で

もくじ

第2章　フランス&ドイツの片隅で　53

第3章　東欧の片隅で　79

イラスト　高宮信一
装　丁　加門啓子

第1章 アフガニスタンの片隅で

アフガニスタンにはすでに10回以上入国している。毎回それなりに緊張して入国するのだが、一番緊張したのは何と言っても初回。あれは2001年10月のことだった。9・11事件が起きて、アメリカはすぐにアフガン戦争を開始した。確かにニューヨークのテロは許せない。だからと言って世界1裕福な国が、世界1、2を争う貧困国を圧倒的な軍事力で空爆するのは如何なものか？　大手メディアは「ビンラディンはどこに隠れている？」「タリバンは何をしてきたか？」などの報道ばかり。アメリカの空爆で逃げまどう民衆の姿を伝えるメディアは少なかった。よーし、行ってやろうやないか！　当時私は大阪・吹田市役所の公務員だったので上司を説得し、休暇を取ってアフガン入国を目指した。

カブール市内の動物園で、ライオンも震えていた

この時のアフガニスタンはまだタリバン政権で、首都カブールへの飛行機は飛んでいなかった。国土の南側はタリバン支配地域で、パキスタンからの入国は無理。唯一の方法は北側、つまりアメリカと組む「北部同盟」側からの入国だ。まずは関空からウズベキスタンのタシケントへ。そこから陸路でタジキスタン。タジキスタンの首都ドシャンベでアフガンビザを取り、世界各国の記者やカメラマンたちと車列を組んでアフガニスタンを目指すのだ。

ドシャンベからいくつかの峠を越え、谷底の村を越えていく。車が珍しいのか、村人が道路脇に立って私たちを見送る。道路に稲わらが敷いてあり、私たちの車列が稲わらを踏み越えていく。そうか、あれは車に脱穀させているのだ、と気づいた頃、夕暮れの景色の中にアムダリア川が現れる。そしてこの川が国境だった。川沿いの廃屋のようなビルにタジキスタンの兵士が数人。ここが出国

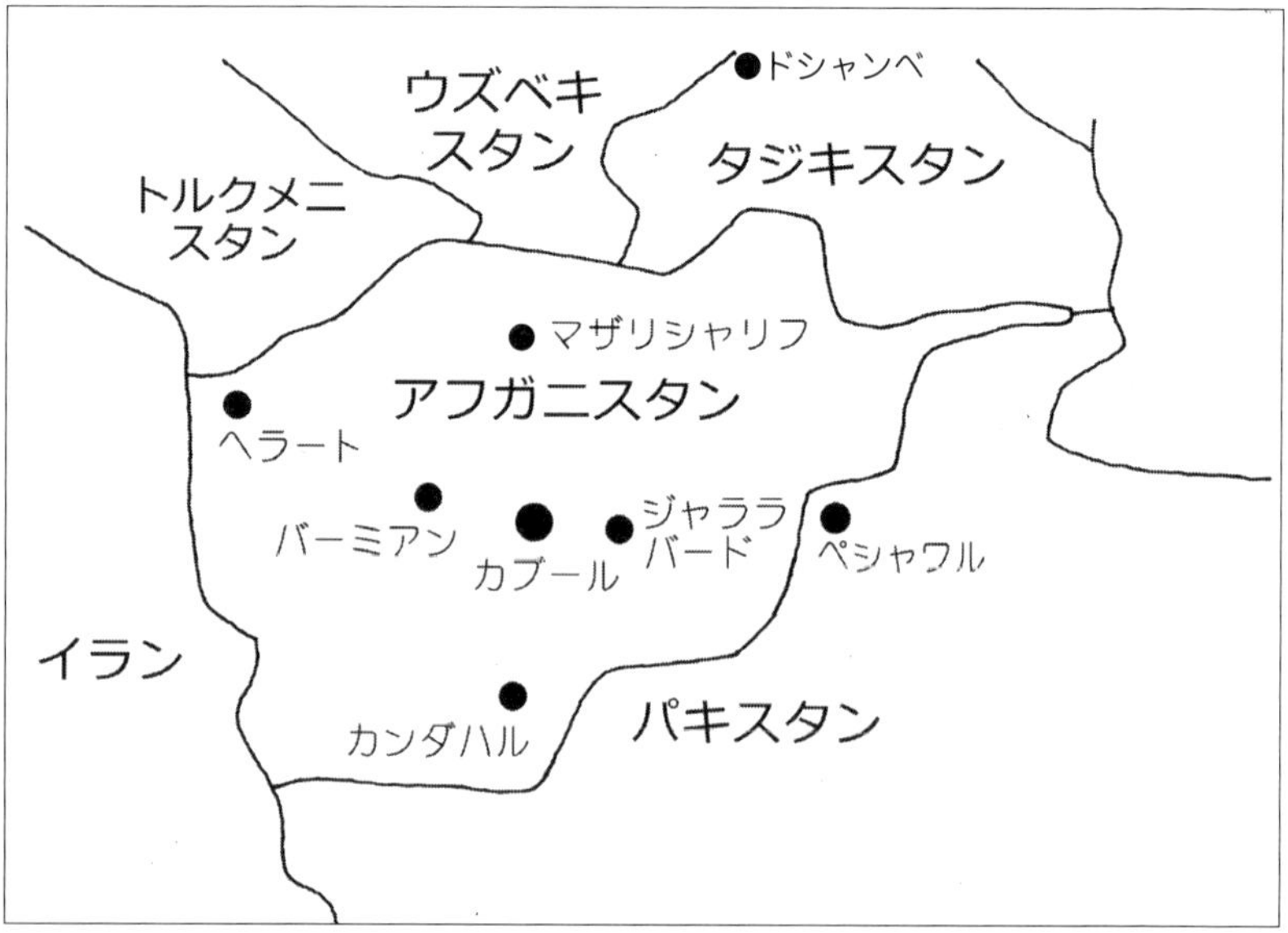

カウンター。漆黒の闇の中、アムダリア川にボートがやってきた。ＣＮＮやＢＢＣの記者たちとボートに乗り込む。ドーン、ドーン。対岸から戦車砲やロケット弾の音が響いてくる。夜空にポーンと明かりが灯る。照明弾だ。「花火みたいやなー」。記者たちと夜空を眺める。ボートが対岸に着岸すると、みんな一斉に走り出す。

河川敷に掘っ立て小屋があって、この小屋がアフガニスタンの入国審査だった。30人くらいの記者の列。出遅れた私は後方に並ぶ。「おい、お前！」審査官が私を指差す。「えっ、何ですか？」「日本人か？」「はい」「では、お前からだ」。えっ、ホンマにエエの？「悪いねー」。英米仏などの記者たちに謝りながら、行列のトップに。「俺は日本が大好きだ。日露戦争では憎いロシアに勝ってくれた。（アフガンはソ連に侵攻された）そして憎っくき欧米に一矢報いたのも日本人だ（アフガンは英国と戦争をしていた）」。審査官はろくにチェックもせず、パスポートにスタンプを押す。「おい日本人、メシでも食っていけ」。審査後、別部屋に通され夜食が出てくる。なんという特別待遇！この後メディア用の宿舎に連れて行かれ、カナダ、ドイツ、アメリカ人記者たちと宿泊。みんな「なぜお前だけ食事が出たんだ」と不思議がっていた。

あれから約20年の歳月が流れた。インド洋でアフガニスタンを空爆する米軍に給油をしてきた日本。「間接殺人」に手を染めた日本の評価はガタ落ちし、今や日本人が狙われるまでになってしまった。そんな20年を振り返りながら「アフガニスタンの片隅で」繰り広げられたエピソードをまとめてみた。最後までお付き合い願えれば幸いである。

カブールのガソリンスタンド

２００９年6月、8年ぶりにアフガニスタンに入国した。前回は北側、つまり旧ソ連のタジキスタン側からアムダリア川を渡っての陸路で、入国するのに5日もかかった。今回はドバイからわずか4時間のフライトでカブールに到着。乗客は兵士と国連関係者、ジャーナリストのみ。首尾よく入国し、まずはカブール郊外の避難民キャンプへ。薄汚れたテントと泥でできた「住居」が延々と続く。「素早く取材しろ。キャンプにはタリバンもいるんだぞ」。通訳のオスマンが「早く、早く」と追い立てる。

避難民たちの悲惨な生活を一通り取材したあとの帰り道、ガソリンが切れかけていたので国道沿いの「ガソリンスタンド」に立ち寄った。店主が手にしているのは、石油缶とジョウロ（写真）。アフガニスタンのガソリンは、たまに粗悪品が混ぜてあるので、慎重に吟味して購入しないとエンジンが壊れてしまうことがある。

ところでこの「ガソリンスタンド」、なかなか立派な店構えではないか。「頑丈そうな店だね。どうやって作ったの？」「拾ってきたのさ」「えっ、拾ってきた？」。この店は旧ソ連軍の戦車だった。カブール郊外の国道沿いには、１９８０年代にアフガンゲリラが破壊した戦車がまだ転がっている。

アフガニスタンのガソリンスタンド

この店主は戦車を拾ってきて、半分に切って店にしたのだ。店主がガソリンスタンドをオープンさせたのは2005年。戦車内部には銃や砲弾が残っていたのだが、正直に政府に返還したという。

「アホやなぁ、高く売れたのに」。オスマンの感想に少々カチンときたので日本語でつぶやく。「お前よりこの店主の方が立派や」。武器の取引は儲かるのでアフガニスタンでは日常的に行われている。だから紛争が終わらない。何はともあれ、「戦車の平和利用」を思いついたこのガソリンスタンド店主に拍手。

世界一危険なゴルフ場

アフガニスタンの休日は金曜日。国民のほとんどが敬虔なイスラム教徒なので安息日の金曜は仕事をしない。カブールから北西に約30キロ、人々はパグマンという村に行き、ピクニックを楽しむ。このパグマンは絵本『せかいいち　うつくしい　ぼくの村』（ポプラ社・小林豊著）の舞台になったところ。未読の方はぜひ読んでみてほしい。パグマンを目指して国道をドライブしていたら、なんとゴルフコースが現れた（写真）。プレーする人はおらず、フェアウエイと思われる緑の大地を、遊牧民が羊の群れを追っていく。

アフガニスタンのゴルフ場

クラブハウスはもちろん、受付もゲートもないので、コースには自由に侵入できる。訪れたときは突風が吹き荒れる天候、強烈なフォローの風が吹く中、4番ホールへ。芝生ではなく、土のグリーンだ（写真）。

4と書かれた旗がなびいている。その旗のところから3番ホールを眺めると、ホールのすぐ横にテントが並んでいる。

「あのテントは何?」「地雷撤去チームのテントだ」「ここにも地雷が埋まってるの?」「確率は低い。まぁ大丈夫だろう」。

OBを打ってしまえば、ボールを探すのも命がけ。スリル満点のゴルフコース。

芝生ではなく、土のグリーンの4番ホール

いったい誰が、なぜ?

作ったのはアフガニスタン観光省。外国人観光客を呼び込むための手段だった。

この国では40年以上戦争が続き、推定で500万発以上の地雷や不発弾が埋まっている。国民にゴルフを楽しむ余裕はないし、観光客は皆無に近い。

ゴルフコースで、羊たちがのんびりと草を食む。スコットランドで羊飼いの少年が、杖で小石を穴に入れて遊んだのがゴルフの起源と言われる。このゴルフコースは、ある意味「先祖帰り」したコースなのかもしれない。

2つの月が浮かぶ町

カブールはアフガニスタンの中では比較的治安がいいのであるが、さすがに夜間の外出は控えなければならない。夜はホテルの一室にこもって読書三昧。

村上春樹さんの小説『1Q84』では、通常の1984年から1Q84年にワープした主人公、天吾と青豆にだけマザとドウタという2つの月が見える。

不気味な米軍の無人飛行船

実はこのアフガニスタンにも「2つ目の月」、ドウタが出ている。米軍が住民監視用に飛ばしている不気味な無人飛行船である（写真）。

小説では「空気さなぎ」がドウタを守ってくれるのだが、アフガニスタンのドウタたちに「さなぎ」はなく、深い傷を負い続けている。

2010年10月、私がビデオカメラを回しながら難民キャンプを取材していたら、何とこの飛行船がぐんぐんと高度を下げ、頭上に迫ってくるではないか。「不審人物を発見、降下します。銃に見えたのはビデオカメラで、東洋人ジャーナリストのようです」。こんな会話が米軍基地のモニター前で交わされたのかもしれない。やがて不気味な飛行船は、また上空に浮かび上がっていった。

米軍はアフガニスタンで無人機による空爆を繰り返している。無人戦闘機に無人飛行船、そしてAIを搭載した「戦争ロボット」。近未来のアフガニスタン、無人戦車に乗った戦争ロボットがタリバン支配地域に進入し「テロリスト」を殺害していく…。こんなSFのような本当の話が、カブールの「202Q」になるかもしれない。

世界ツル・フサ分布

世界各国を旅していてひそかにチェックしてい

るのが、目の前を通り過ぎるハゲ親父の数。その国の「ツル・フサ比率」である。ざっと見てきたところ「東へ行けばフサ、西ならツルが増える」。

頭の中央から植毛いたします

　これまで訪問した都市の中でツル親父が一番多いと感じたのが、トルコのイスタンブール。「オハヨーゴザイマース」。にこやかに声をかけてくる「親日家のツルたち」は明るく、屈託がない。こうした国ではツルが多数派なので、親父たちは立派に市民権を得ている。イスタンブールの下町には堂々と男性カツラ店が並んでいて、鏡の前で紫や赤のロン毛カツラを臆面なくかぶり、悦に入っている姿が妙に可愛かったりする。

　逆にツルが少数派の国ではこうはいかない。カツラ屋は路地の奥まった場所にひっそりと存在し、客はあくまで自然に自分がヅラであることをトップシークレットにしながら社会を泳いでいかねばならない。

　東西文明の十字路アフガニスタンでは、「ツル親父の市民権」はまだ確立していないようである。カブールの繁華街にこんな看板を発見（写真）。現地語で「頭の中央から植毛いたします」。カブールの親父たちも苦労してるんやなぁ。

国家機密も素肌も隠す？

　一口にイスラム国家と言っても、その国の「イスラム度」には相当な開きがある。例えばサウジアラビアやスーダン、パキスタンでは酒は御法度。逆にレバノンやトルコでは堂々と飲める。女性の服装もまた然りで、レバノンではミニスカートの女性を見かけるが、アフガニスタンでミニスカートは皆無。女性たちは民族衣装ブルカをかぶり、その体型はもちろん、素顔まですっぽりと覆い隠している（写真）。

ほとんどの女性がブルカを着用している

カブールで何気なくテレビを見ていたら、インド映画が始まった。背広姿の男性がヒンディー語の歌を歌いながら、身体をくねらせて踊っている。その男性に民族衣装サリーを着た女性が、やはり身体をくねらせて迫ってくる。やがて二人は見つめ合い、手を取り合ってダンスをするのだが、何と女性のお腹の部分にモザイクが。インドのサリーは、上下セパレートになっていて、お腹が露出している。これは「肌の不必要な露出」になり、そのまま放送できないのだ。踊る女性がアップになる。胸元が大胆にカットされたドレス。やはりそこにも「無慈悲なモザイク」がかけられている。アフガンの「映倫」恐るべし。

漢字ブーム

イラクやアフガニスタンで日本から来たと言うと「オー。ジャパーン！　俺は日本が大好きなんだ、トヨータ、ホンダ、ニッサン」などと賞賛される。なぜそんなに日本が好きなの？「ヒロシーマ、ナガサーキを乗り越えて見事に復活したじゃないか。俺たちも日本のようになりたいよ」。文化の面でも彼らは日本が大好きで、髭面親父がインターネットカフェで「もののけ姫」を見ながら涙を浮かべていたりする。割と可愛いヤツらなのだ。最近はタトゥーがブームで、肩口に「龍」や「亀」などの漢字を入れているヤツもいる。

　カブールのメインストリート、行き交う車のほとんどは、日本か韓国の中古車。日本大好きな彼らは、車に大書された漢字も大好き。「足湯でゆったーり○○温泉」などと書かれたタウンエースをタリバンのような髭面親父が険しい顔で運転していたりする。幼稚園や保育園の送迎バスも同様。

あゆみ保育園のバス

これはかつて「あゆみ保育園」の送迎バスだったのだろう（写真）。通訳の友人がやってきて、何か漢字を書いてくれ、とリクエスト。ノートの切れ端に「西谷文和」とサインしてやった。後日、彼はこのサインを車に貼って現れた。ちょっと恥ずかしかったけど、まぁいいか。誰も読めないし。

バーミヤンへ

　２００９年６月、中部の都市バーミヤンに入った。カブール空港で国連機に乗り込む。国連機といえば格好いいが、20人ほどしか乗れないバスのようなプロペラ機である。半時間ほどのフライトでバーミヤンに到着。空港の滑走路は舗装されておらず、出入国ゲートも売店もない全くの田舎であった（次頁の写真）。バーミヤンでの通訳はシャムスディーン（38）。中国とシンガポールを訪問した経験があって、旅先で日本人と出会ったことがあるという。

「日本人は優秀だ」

「なんでそう思うの？」

「俺がバーミヤンから来たと言うと、みんな『知ってるよ、バーミヤンね』。中国人は『バーミヤン？ どこ、それ』。やっぱり日本人はすごいよ。地理に詳しいんだね」

いや、それは日本人が地理に詳しいわけではなく、バーミヤンという中華料理のチェーン店があって…。「真相」がのどまで出かかったが、この「美しい誤解」をそのままにしておいた方が、彼のためにも日本のためにもいいと思い、黙ってやり過ごした。

空港はビルも滑走路もない「単なる広場」だった

三蔵法師はスーパーマン

シルクロードの要衝として栄えたバーミヤン。ヒンズークシュ山脈のふもと、標高2500メートルの渓谷に沿って民家が続く。そんな渓谷を車で10分も走ると巨大な大仏跡が見えてくる（写真）。大仏が彫られたのは5～6世紀、そして西遊

バーミヤンの大仏跡全景

記でおなじみの玄奘三蔵がここを訪れたのが7世紀。この高くそびえ立つ山脈を徒歩で越えてきたわけだ。ちなみに「ヒンズークシュ」というのはペルシャ語で「インド人殺し」。インドから奴隷をペルシャに連れてくる際に、この峠を越えることができず、たくさんの奴隷が亡くなったからだ。電車も車もない時代、広大なタクラマカン砂漠、そしてヒンズークシュ山脈を越えてインドの天竺に到達した三蔵法師、当時の常識を超えたスーパーマンだったからこそ「孫悟空」の物語が生まれたのだろう。

大仏は2体あって、大きい方が西大仏。その身長は世界最高で55メートル、現地では「ビッグブッダ」と呼ばれていた。東大仏はそれより低くて「スモールブッダ」。スモールと呼ばれていたが、それでも38メートルの高さである。残念ながら両大仏とも01年3月にタリバンが爆破してしまったので、現在は「大仏跡」になっている。

なぜタリバンはこの大仏を爆破したのか？

イスラムでは偶像崇拝は厳禁。イエス・キリストの像や、ブッダの像は世界各地にあるが、「アッラーの像」はない。神を形にしてはいけないのだ。この教えを他宗教に拡大して、仏像やキリスト像などをイスラムの名の下に破壊していった。しかしこれは「誤ったイスラム原理主義」である。イスラムは他の宗教との共存を認めていて、真のイスラム者は仏像など破壊しない。しかしタリバンもIS（イスラム国）も世界各地で同じ間違いを繰り返す。私のイラク人、アフガン人通訳たちは「彼らはイスラム教徒ではない、迷惑だ」と異口同音に非難する。タリバンやISはイスラム教本来のイメージを大きくゆがめる、「戦争の鬼っ子」というべき存在だ。

大仏さまの頭の上で

ではその大仏跡に登ってみよう。

西大仏跡の足下にもぐり込み、かつての大仏を見上げる。「高いなー」。その大きさに圧倒されるが、しばらくすると首筋が痛くなる。タリバンは「きっちりと」爆破しており、大仏は跡形もない（写真）。破壊された瓦礫は、国連のユネスコがきちんと保管していて、一つ一つの石の塊に番号が付けられている。近い将来、この瓦礫をもう一度組み立てて大仏を復活させるプロジェクトが始まる。ただし強度の関係で大仏は立ち上がれず、寝た状態で復活するらしい。残念ながら登坂ルートも破壊されていたようで、西大仏には登れなかった。

大仏跡を見上げる

西大仏跡から８００メートル、東大仏跡ではこれ以上崩壊しないように補強工事が行われている。ここは人１人が通れるほどの狭い階段があって、上部に上れるようになっている。

急勾配の階段を上ること20分。大仏の頭上に出た。東大仏は「スモール」と呼ばれているが、それでも身長は38メートル。高所恐怖症の人は上らない方がいいだろう。今にも崩れ落ちそうな狭い通路からバーミヤン渓谷を見下ろす。さらさらと流れる清流と緑の畑、そして農作業をする人々。

「あー、オレは大仏さまが見てきた風景を、今見てるんや」。太古から続く同じ景色。しばし感動して、大仏の頭上で立ちすくんでいたのであった。

昔も今も「嘆きの町」

大仏跡に上った後、世界遺産の1つ「シャーリ・ゴルゴラ」へ向かう。シャーリ・ゴルゴラは12世紀に栄えたゴール朝の首都。バーミヤン渓谷を見下ろす小高い丘の上にあって、丘の内部は無数の洞窟。人々は洞窟内部で生活していた。13世紀にチンギス・ハーンがこの町の住民を皆殺しにしてしまった。シャーリ・ゴルゴラとは「嘆きの町」という意味だ。

防護服をつけた地雷撤去の作業員と筆者

戦争中のシャーリ・ゴルゴラは天然の要塞となった。80年代は旧ソ連軍が、90年代はタリバンがこの丘を占拠した。その結果、ここに無数の地雷がばらまかれてしまった。

地雷撤去チームから諸注意を聞き、まずは防護服を着用（写真上）。胸の部分は防弾チョッキとなっており、ずしりと重い。いよいよシャーリ・ゴルゴラの中へ入る。紅白の石が置いてある。赤色部分から先が危険地域。私たちは白石と白石の間を歩く。「地雷注意！」のドクロマーク（写真下）。作業員は金属探知機を左右に振りながらゆっくりと歩く。

地雷注意の看板

「キーン!」。探知機がなる。作業員はその場にしゃがみ込み。地面をシャベルで掘り始める（写真）。「こ、こわっ」。思わず後ずさり。

探知機が鳴った場所をシャベルで掘り返す

アフガニスタンでは今も推定で500万個以上の地雷が残っており、毎年800人以上が犠牲になっている。埋めるのは簡単、撤去は命がけだ。

「不発弾が見つかった。場所は…」。シャムスディーンの無線に連絡が入る。現場はここから車で30分、四輪駆動車でないと入れない山の中腹。

「血液型は?」「O型だ」。現場の入り口で、作業員の指示に従い住所、名前、血液型を記入する。万が一の場合に備えた血液型の登録。「こんな山奥で怪我したら助からないよ。気休めさ」。シャムスディーンがつぶやく。

不発弾は旧ソ連の戦車砲だった。40年以上続く戦争。地雷はもちろん、最新のアメリカ製クラスター爆弾から、このような「歴史的な戦車砲」まで様々な不発弾が地中に眠っている。作業員が慎重にダイナマイトを仕掛け、銅線コードを山のふもとまで伸ばす。「400メートル離れろ」。作業監

爆破作業終了

督の指示を受けて全員が崖の陰に隠れる。「今から不発弾を爆破します。危ないので近寄らないでください」。監督がハンドマイクで叫ぶ。遊牧民などが興味を示して近づいてきたら大変だ。カウントダウンが始まる。3、2、1、ドッカーン。大音響とともに煙が舞い上がり、無事終了（前頁の写真）。農民や遊牧民が安心して仕事できるのはまだ先だ。

タリバン幹部と面談

2010年2月、やはりカブールは寒かった。前夜からの大雪で街は真っ白。凍てつく国道を横切って、通訳のイブラヒームがホテルに駆け込んできた。「ニシ、アポが取れたぞ。取材に行こう」。「OK出たの？　ホンマに行ってええの？」。タリバン政権の元外務大臣ムタワッキル師はカブール下町の、とある邸宅に幽閉されていた。邸宅の住所は機密情報、その外観はもちろん、そこへのルートも撮影禁止。「タリバンの幹部やろ？　会えば危険なことにならない？」「彼は穏健派タリバンだ。危害は加えない。しかし大変誇り高い人物なので、失礼なことは聞くな」。そうかタリバンには穏健派と武闘派がいるのか。

「穏健派っていうけどタリバンやろ？　行くのやめへん」「こんなチャンスめったにない」。

弱気になる私と興奮するイブラヒーム。邸宅の玄関は二重扉になっていて、銃を構えた兵士が2人。「何しにきた？」。鋭い眼光で私たちを一瞥。身分証明書を見せ、アポがあることを告げ

書生に案内され、いざムタワッキル師とご対面

る。トランシーバーで邸宅内部としばしのやりとり。兵士は無言で顎をしゃくる。「入ってよし」。

玄関ホールで待機。書生風の青年（写真）がやってくる。「師は書斎におられます」。こいつもタリバンなのかなー。青年についていくと書斎への扉が開く。

「ウエルカム（ようこそ）」。待っていたのは白いターバンに髭面、見るからにタリバン！のムタワッキル師だった。

「ほ、本物や。本物のタリバンや」。

アフガン戦争によって01年末にタリバン政権が崩壊すると、米軍はすぐに彼を拘束。2年にわたる取調べの後、釈放されるもアフガン政府によって軟禁されていたのだ。穏健派とはいえタリバンはタリバン。恐る恐るインタビュー開始。

―なぜあなたたちタリバンは米軍と戦うのか？

「侵略されたからだ。ジハード（聖戦）で立ち上がるのは私たちの権利だ」

―しかしイスラム教では自殺は禁止。自爆テロはあなたの教えと矛盾しないか？

「圧倒的な戦力の差がある。強大な米軍と戦うには自爆テロは有効な手段だ。日本も同じことをしただろう？」

ムタワッキル師はここで「カミカゼ」と言った。彼らは「カミカゼ特攻隊」をモデルにしていたのだ。

―日本は先の戦争を反省し、アフガンに軍隊を送っていない。

「私たちは日本を評価している。先進国の中で日本だけが軍隊を送らなかった。そして日本はカブール空港を作ってくれた」。

日本への評価が高いのは「アフガン人を誰も殺さなかった」からだった。

あのタリバンが意外なことに

「日本は平和貢献、人道支援に徹するべきだ」

と強調するので、ここでとっさに聞いてみた。

「あなたは日本の憲法9条を知っていますか?」

「9条? なんだそれは?」通訳のイブラヒームが尋ねる。「えーっとね、9条というのはね、日本が戦争に負けてもう2度と…」。イブラヒームに説明している時だった。

「I know（知っているよ）」とムタワッキル師。

えっ! なんとタリバンの元外務大臣が日本の平和憲法を知っていて「9条は素晴らしい」と言うではないか。この時点ですでにタリバンは米軍との戦争に疲れていたのだ。「もうこれ以上戦いたくない。早く和平合意を」。これがタリバンの本音だった。極端なイスラム原理主義で、女性の人権蹂躙、ハザラ人の大虐殺などタリバンには重大な戦争責任がある。しかしそれは国際刑事裁判所で正すべきであって、空爆で街を破壊し、住民を殺戮することではない。感動した私はムタワッキル師と堅く握手（写真）。丁重に礼を言い、無事ホテルに到着。ほっとした私とイブラヒームが互いにつぶやく「人は会ってみないとわからんねー」。

・このインタビュー

の後にムタワッキル師について調べてみた。1999年12月、カブール国際空港でインド航空機ハイジャック事件が起きる。この時犯人側と粘り強く交渉して、乗客全員の無条件解放を勝ち取ったのが、このムタワッキル師だったのだ。憲法9条を素晴らしいと言い、

ムタワッキル師と握手する筆者

欧米諸国と違って「誰も殺さなかった日本」を褒めてくれたムタワッキル師。議会の承認もなく、イランの司令官を殺害する大統領と、ポチのように追従するどこかの国の首相。私の結論は「タリバンの方が平和主義者やん」。

ヘラートのラクダ売り

2011年2月、パミール航空で西部の町ヘラートへ飛んだ。このパミール航空、1〜2時間遅れは当たり前、平気でキャンセルするし（満員にならないと飛ばない）、ガソリン不足で墜落事故を起こしたこともある。乗りたくないエアー、世界ワースト5には入るだろう。この日も2時間遅れ、謝罪は一切なし。「飛んでやったんだ、文句言うな」。カブールは氷点下10度で凍りついていたがヘラートは気温12度、楽園気分だ。

乗合タクシーで市内中心部へ。思ったよりも大きな街で、古いモスクに大きなお城。ここまで来るとペルシャ文化の香りがする。イランとの国境はすぐそこで、ヘラートは古代ペルシャ帝国の首都だったのだ。町で目立ったのがリキシャと呼ばれるオート三輪と女性の物乞い。ブルカをかぶった女性の一団が黙って手を差し出してくる。戦争で夫と家を失った女性たち、仕事もないので物乞いになるしかない。ラクダ売りの若者がいた（写真）。チャタールという名前で8歳のメス。「日本から来たの？　ラクダ買ってよ」「いくら？」「3万アフガニー

8歳のメス、チャタール。6万円なり

（約6万円）」。一瞬迷った。「買って帰ったら面白いな」。地元吹田市でチャタールに乗って通勤したら、子どもたちは大喜びするだろう。飛行機に乗せることができないので無理に決まってるし、万一船で出国できたとしても税関で捕まるかも。「ごめん、買えないよ」。パッコパッコ。蹄の音を響かせながら、若者とチャタールが去って行った。

ヘラートのリキシャ

少子高齢化の進む日本を出て中東やアフリカの諸都市に到着すると、そのあふれんばかりのエネルギーに圧倒されてしまう。出生率が高く、子どもが多いので商店街も学校も活気にあふれている。私が日本人だとわかると「悪ガキたち」が集まってくる。「ジャッキーチェン！」と叫び、空手の真似をする子どもたち。ジャッキーチェンは日本人だと思い込んでいるのだ。彼らはもっぱらサッカーに興じていて、野球は知らない。イチロー、大谷は知らなくてもカガワ、ハセベ、ナガトモはみんな知っている。アフガニスタンの広大な避難民キャンプを訪れた時のこと。広場にバットとボールを持った人たちが集まっている。「おー、とうとうアフガンにも野球が！」。

感激して近づいていくと、彼らは草野球ならぬ草クリケットを始めるところだった。現地のテレビアニメでは、星飛雄馬のアラブ版みたいなヒーロが出てきて（瞳は燃えている）、クリケットの球を投げるとボールが火の玉になって相手

ロナウドのリキシャ（オート三輪）

をきりきり舞いさせている。イラクやシリアでは「キャプテン翼」のアラビア語版が子どもたちに大人気。アラーアクバル！（神は偉大なり）インシャッラー！（神がお望みなら）などと叫びながら翼たちがボールを蹴っている。アフガニスタン西部のヘラートで商店街をさまよっていたらリキシャと呼ばれるオート三輪が近づいてきた。このリキシャ、運転手の趣味で様々な装飾が施されている。その中の一つにクリスティアーノ・ロナウドがいた。（前頁の写真）ちょっと芸術的？

アリーの眠る町へ

2012年2月、北部の町マザリシャリフへ飛んだ。マザリシャリフとは「聖なるアリーの墓」という意味。イスラム教を開いたマホメット（アラビア語でモハンマド）から数えて4代目のカリフ（神の代理人）であるアリーがこの町で死亡。アリーがここに眠っていると信じられている。

町の中心にはペルシャンブルーに輝くハズラト・アリー廟。この国のシンボルカラーは青だ。雨が少ないアフガンでは、空の青さがまぶしいほど。そしてアフガンが産出するラピス・ラズリは濃い青色の宝石で、驚くことに西ではエジプトのツタンカーメン像の目になり、東は奈良の正倉院に奉納されている。シルクロードのほぼ中心に位置するアフガニスタン。ここが東西文明の十字路であったことが分かる。青い廟に似合う色は白。アリー廟には無数の白

アリー廟前の白い鳩

い鳩が乱舞している。（前頁の写真）この廟が建ったのは12世紀。以後参拝する人たちが世界中から集まってきて、寄進によって廟はさらに美しく、大きくなっていった。そんな長い歴史の中、「白い鳩は縁起が良い」と参拝者が白い鳩だけを選んで餌付けしていった。黒や青の鳩は縁起が悪いと殺され（食べられ）ていき、この地区だけ「白鳩のガラパゴス化」が進んだのだ。

アフガニスタンは青と白が似合う国。戦争で流された血、赤は似合わない国なのだ。

マザリで出会った男たち

この時期のアフガニスタンは寒い。一泊二日のつもりでやってきたマザリシャリフ。なんと飛行場が大雪で埋まってしまい、帰りの飛行機が飛ばない。仕方なく連泊し、ホテルで夕食を食べていたら、「愉快なアフガン人御一行様」と出会った。彼らはマザリシャリフから車で数時間、旧ソ連のタジキスタン旅行から帰ってきたばかりとのことだった。

アフガニスタンはアルコール厳禁のイスラム国家、一方タジキスタンは旧ソ連だったので♬酒はうまいし、ネーチャンもきれいだ♬の世界。首都ドシャンベで仕入れてきた「モスクワ・ウォッカ」なるアルコール度50パーセント強の「夢の水」をコーラで割って飲んでいる（写真）。

親父たちはこの後、「自宅内古女房」に怯えることになる

アフガニスタンで「タジキスタンに行く」と言うと、それはほぼ「飲む打つ買う、3拍子そろっ

た中年親父慰安旅行」とみなされるので、妻には「パキスタンに行く」と言って家を出た。

このモスクワ・ウォッカを飲み干した後、彼らは必死で数枚のガムを噛んでは捨てていた。家に帰ると、妻が駆け寄ってくる。遅かったわね、ダーリン。チューされようものなら、酒臭いことが発覚し、パキスタンではなくタジキスタンに行ったことがバレてしまうのだ。公式には酒が存在しないことになっているこの国では、路上での飲酒検問はあり得ないが、自宅内古女房の「飲酒＆浮気検問」に親父たちはおびえていたのである。

動物園もあるよ　その1

翌日は快晴。カブールへの帰りの飛行機が飛ぶ。カブール市内にこの国唯一の動物園があって、園舎は雪をかぶっていた。防寒着を着た親子連れに混じり、20アフガニー（約40円）を支払い入場。正面の池でアヒルとカモが泳いでいる。青い鉄の檻に犬が数匹。看板には「ウルフ」と書かれている。「単なる犬だよ」。通訳のサバウーンが笑う。アルマジロがいる。何となく寒そうだ。

子どもたちの一番人気はライオン（写真）。巨大な檻には屋根がなく、地面には雪がつもり、木枯らしが吹き抜けている。あわれメスライオンは、陽のあたるコンクリートの壁にしがみつくように、寝そべっている。エサは米。肉を買う余裕がないのだそうだ。夜は氷点下になる街であのライオンは冬を越せるのだろうか？「難民と同じじゃね」サバウーンが苦笑する。「あい

カブール動物園のライオン。冬を越せるのか？

つにも毛布を配らないと」。
「熱帯のアフリカからやってきました」。ケニアの地図とともにダリ語で書かれた看板を見ながらつぶやく。「ここでの生活は人も動物も大変や」。

動物園もあるよ　その2

「動物虐待のような」環境の中、したたかに生き延びているのがお猿さんたちであった。猿山には数十匹の猿がいて、観客からの「投げエサ」を待っている。子どもたちが、キャンディーやチョコレートを競って投げ込む。エリが入ると猿たちは器用にチョコの包み紙を開いて、うまそうにたいらげる（写真）。

「エサをやらないで」。ダリ語の看板には、なぜかミッキーマウスに似たネズミが描かれていて、缶ジュースに大きな×印。

しかし人々はそんな看板に見向きもせず、せっせとエサを投げ入れる。中にはひどい輩がいて、小石をチョコの包み紙にくるんで投げている。

「石などはかわいい方さ。中にはハシーシ（麻薬）を投げ込むヤツがいて、ハシーシを食べた猿がラリっている時もあるよ」。

器用に包み紙を開いて食べていた

アフガニスタンは世界一の麻薬生産国。庶民の間にハシーシが浸透している。極寒の冬を耐えるライオンも大変だが、チョコの食べ過ぎで虫歯にはなるわ、ハシーシでラリってしまうわ、アフガン動物園では猿もまた大変な時を過ごしているのだった。

カブールの冬は寒いのだ

アフガニスタンというと、砂漠が広がる暑い国といったイメージをお持ちの方も多いようだ。イラクの印象と混同されているのだろうと思うのだが、カブールは標高1800メートルの高地にあって冬は氷点下20度まで下がる。

2012年2月のカブールも雪に覆われていた。国道を走っていたら、雪の上にブルカをかぶった物乞いの女性、シュマーグルさん（48）が座り込んでいる（写真）。もちろんブルカは防水ではなく、薄いペラペラのナイロン生地である。「戦争が始まったのでイランに逃げたの。夫はイラン人女性と一緒になって、今もイランに住んでいる。運命を呪うわ」。難民受け入れから排斥に舵を切ったイラン、彼女たちアフガン難民は大量に追い返されたのだった。わずか数分のインタビューでも凍えそうになる。私はコートに長靴、彼女はブルカにサンダル。この格好で毎日ここに座り込む。「1日座って100～200アフガニー（約200～400円）。食べていくのがやっとよ」。寒い冬の朝、時々ふと彼女のことを思い出す。

雪上で手を差しのべる。しかし車は止まってくれない

雪の訓練基地で格差を実感

シュマーグルさんに別れを告げ、カブールから車で1時間半、リシャホール基地を目指す。

2012年は米軍からアフガン軍へ治安権限を移行した年で、雪の中でも軍事訓練が行われていた。ここは特殊部隊、つまり人質救出や要人暗殺などを任務とする精鋭部隊のための訓練基地だった。雪山を背景にして4階建ビルくらいのやぐらがそびえる。兵士たちはここからロープ1本で飛び降りる。ホバリングしたヘリコプターから地上に飛び降りて、タリバンを急襲する作戦のようだ。やぐらに登ってみる。足がすくむ。「先日、兵士が一人落っこちて下半身不随になった」。司令官は「よくあることさ」といった風情で、感情を込めず説明する。ここでの命は軽い。

雪の中の射撃訓練

雪原で兵士がライフルの射撃訓練をしている(写真)。使用しているのは米国製M16ライフルとM240機関銃。かつては銃といえばロシア製のカラシニコフが主流だった。オバマもトランプも軍事力で支配した上で「アメリカの武器を使え」と迫っているのだ。

ピーッ！ ホイッスルが鳴り、兵士たちが歩きながら銃を乱射する。標的には点数が書かれていて、訓練後に「採点」があり、成績が悪い兵士には罰ゲームが待っている。兵士たちの給料は200ドル(約2万円)。「米兵は何千ドルともらっているじゃないか、危険な目に遭うのは俺たちなのに」。兵士たちが口々に待遇の悪さを訴える。紛争の現場に立つと「命の値段に差があるなー」

と感じる。

ボウリング場ができていた

２０１３年８月、10度目となるアフガニスタン取材を敢行した。首都カブールは建設ラッシュだった。あちこちに高層ビルが林立し、マンションは建てればすぐ売れるという。なぜだろうか？　それは日米などが拠出した巨額の「復興資金」だ。基地や道路、橋などの建設で潤った「アフガン富裕層」が、近代的で快適なマンションを求めているのだ。

　戦争は街を壊す⇩街を再生するゼネコンが儲かる⇩儲かった富裕層と庶民の格差が極限まで広がる⇩その反発から自爆攻撃が多発する⇩内戦状態が続く⇩さらに「復興資金」が追加され、戦争成金が儲かっていく…。

　そんな富裕層が利用するのだろう、カブールの繁華街にボウリングのピンが飾られていた（写真）。このボウリング場に入るには、門前の警備兵に身分証明書を見せ、金属探知器をくぐり抜け、奥に控える別の警備兵に身体検査を受けてからゲームスタートとなる。タリバンは、ボウリング場で遊ぶ人々を、「米軍に取り入った裏切り者」とみなして自爆攻撃をかけてくる。家族連れで「ちょっと遊んでいこか」というノリではない。

ボウリング場は１時間投げ放題だった

　料金は「１ゲームいくら」という方式ではなく、「１時間投げ放題」だった。アフガン富裕層の若者たちが、見よう見まねで投げまくっていた。娯

楽の少ないアフガニスタン。まぁストレス発散にはなるかな？

「お笑い国際便」カブールへ

「そろそろまた、どっか行きまへんか？」。2013年の夏、落語家の笑福亭鶴笑さんに声をかけられた。2010年12月、イラクの避難民キャンプで落語を披露してから2年半の歳月が流れていた。カンボジアやブラジルでも落語を披露してきた鶴笑さん、「普通の」外国では満足できず、また紛争地へ行きたいというのだ。イラクの次は…。やはりアフガニスタンだ。「アフガンにしましょう。奥さんの了解は？」「嫁はんでっか？ 大丈夫、大丈夫。西谷さんは？」「うちも全然平気ですわ、『あんたいつまで日本におるん？ はよアフガンに行っといで』と尻叩かれてますねん」。かくして「家庭から浮いた」中年親父2人の呼びかけで、独身のマジシャン阪野登さんと、こちらは新婚ほやほや、熱愛中の落語家、桂三金さんの4人で「チームお笑い国際便」を結成することに。大阪各地、奈良、広島、名古屋などで20回もの「アフガンチャリティー寄席」を開催。募金を集めていざアフガニスタンへ。

2014年8月10日夜、台風一過の関西空港。新婚の三金さんだけ新妻の見送り。「あなた、無事帰ってきてね」。二人のハグを見ながら、「まぁ、ああいう時代もありましたわな」。鶴笑さんが遠い目でつぶやく。

いよいよ出発（写真）。

「お笑い国際便」いざアフガニスタンへ

まずはUAEのドバイまで飛んでから、乗り継ぎ便でアフガニスタンの首都カブールへ。

「隣に太ったアラブ人が乗らないことを願っとります」。巨体の三金さんはタリバンよりも、11時間を超えるフライトが心配なのだ。8月11日現地時間午後3時、無事アフガニスタンに到着。「チームお笑い国際便」のアフガン寄席、はじまり、はじまり〜。

地元テレビに生出演

カブールに到着した「チームお笑い国際便」、通訳のサバウーンが「日本から面白いヤツらがやってきた」と知人たちに宣伝。これが噂を呼び地元テレビに生出演することになった。「やったー、30分ももらえるんやて。時間いっぱい、笑かしたろ」。鶴笑さんの鼻息は荒い。3人は意気揚々とテレビ局へ。

スタジオに鶴笑さん、三金さん、マジシャンの阪野さんが並ぶ。「それでは日本のみなさんのパフォーマンスです」。キャスターが真面目な顔で紹介する。「アッサラーム・アレイコム、アフガニスターン！」（こんにちは、アフガニスタン）。3人が元気な声であいさつするも、スタジオはシーン。まずは三金さんのバルーンアート。細長い風船で象を作る。場内は水を打ったような静けさ。♬チャラララララー♬見かねた鶴笑さんと阪野さんがBGMを口ずさむが、キャスターは厳しい表情で風船を見つめるのみ。

続いて阪野さんのマジック。新聞紙にそそいだ水が消える、というマジックでようやく拍手が起こる。続いて新聞紙を細かくちぎってそれを元に戻す、というマジック。静けさの中の緊張か、アフガン地元紙の紙質が日本の新聞紙と違うのか、うまくちぎれない。やばい、もしかして…。あー、哀れ新聞紙は元に戻らず、まさかの大失敗！鶴笑さん、三金さんの心細げな「口のBGM」だけが「もう堪忍して」とでも訴えるようにこだまする。

最後に鶴笑さんの舞台。忍者と赤鬼を使ったパペット（人形）落語。静寂の中、粛々と物語が進む。予定の時間を3分も残してパフォーマンスが終了。ダリ語で延々と語り合うキャスターと通訳。所在無さげにたたずむ3人。先生に叱られて「もうしません」と立たされている小学生のようだった（写真）。

立たされているような３人

素敵な笑顔と素早い手

カブール滞在3日目、チームお笑い国際便は「ハッキーム・バルビー校」を訪れた。ここは男子校で7歳から18歳まで小、中、高校生が通ってくる。その数なんと5200名。1日の授業は午前、午後の2回で生徒が入れ替わる。問題は公演の場所。講堂も体育館もない。ギラギラと直射日光が照りつける中、グランドでの青空寄席だ。「地声でやりなはれ」「えっ、マイクないんでっか？」苦

バルコニーに「落男」登場

笑いの鶴笑さん。さすが世界最貧国の1つアフガニスタン、マイクやスピーカーは贅沢品なのだ。

校長室は2階にあり、バルコニーからグランドが見える。校舎からわらわらと子どもが出てくる。「落男《らくお》」というゆるキャラをかぶり、鶴笑さんがバルコニーから手品を見せる。**（前頁の写真）**ウォーッと地鳴りのような歓声。「おー、受けてる、受けてる」。喜ぶ三金さん、阪野さん。昨日は静寂の中、テレビ局での生出演。心が折れかけた3人だったが（笑）、この学校で見事に復活。

風船をプレゼント。子どもたちは大喜び

拍手喝采で公演終了。すっかりスターになった3人から、風船で作った象や馬を各クラスにプレゼント**（写真）**。「日本のみなさんに感謝する。40年も続く戦争で、この国から笑いが消えてしまった。子どもたちはずっと忘れないだろう」ムハンマド校長の御礼の言葉。本当に素晴らしい子どもたちだ。帰りの車中。「あれっ、僕のデジカメがない」。阪野さんが叫ぶ。やられた！　さすがアフガンっ子、「素晴らしい子どもたち」は手も早かったのだ。

犬はOK、パンダは×

アフガン寄席4日目は、カブール郊外にある「カライ・ワジール避難民キャンプ」へ。ここに約60家族、400人ほどの避難民がテント生活を送っている。戦争が激しくなって、彼らはいったんイランに逃げたが、最近になってイラン政府がアフガン難民を追い返した。カブールなら仕事があるだろうと思ってやって来たが、仕事はなく金が尽きたので、ここに住み着いた。逃げるも地獄、戻るも地獄。戦争の犠牲は一番弱い立場の人々に集中する。

「ゴミ拾いや靴磨きの仕事に出てるので、この時間、子どもは少ないよ」。キャンプの責任者が夜に来いと言うが、夜間の外出は危険。事情を説明して、アフガン寄席を始める。まずは鶴笑さんと三金さんが紙切りと風船でウサギを作る。「ムシー（ウサギだよ）」、集まった子どもたちはみんなポカーン（写真）。「あかん、全然受けへんわ」。子どもたちはウサギもパンダも知らないのだ。絵本を読んだり、テレビマンガを見たりした経験がないので、風船のウサギは、「ゴムがグニャグニャしたもの」にしか見えないのだ。その点、阪野さんのマジックは受ける。「教育は大事やねー」鶴笑さんがつぶやく。三金さんが巨体を揺すって腹をポンポン叩くと大受け。芸は必要なし、ただ太っているだけで受ける。「今までの修行はなんやったん？」。複雑な表情を浮かべる三金さんであった。

子どもたちはウサギもパンダも知らなかった

警戒される「中年スケベオヤジ」

次なる公演場所は、カブール市内のザルブナ女学園。実はアフガニスタン教育委員会は、なかなか女子校での公演を許可しなかった。「なぜ許可を下ろしてくれないんだ?」「お前たちが男だからだ」。

この国は「男女7歳にして席を同じゅうせず」という風習を貫いていて、オッサンたちが女子校に入るなんてことは前代未聞。私たちは「中年スケベ親父」として警戒されたのだった。

「鶴笑兄さん、目つきがやらしいんと違う?」「何やて三金、お前が鼻の下伸ばしてるからアカンのや」。仲間割れしそうな「お笑い便」だったが、誠実に事情説明した結果、特別に許可証が出た。「いいかお前、女子学生にはカメラを向けるなよ」。教育委員長が私に念を押す。大きめのビデオカメラを肩から下げた私は、「盗撮スケベ男」であるかのような扱いを受けたのだった。

ザルブナ女学園は学生8500人。子どもたちが、わらわらと教室から出て来て中庭に集合する。講堂も体育館もないので、やはり「青空寄席」になる。

まずは鶴笑さんの紙切り。興味津々で見つめる子どもたち。パンダやミッキーマウスが出来上がると、ワーッという大歓声と拍手。教育は大事だ。この学生たちは絵本を読んでくれている。続いて三金さんの風船アート、阪野さんのマジック。作品が出来上がるたび、マジックが披露されるたびに学校全体が揺れるほどの拍手と大歓声(写真)。「キャーキャー言われて、俺たちSMAPみたいやったなー」。3人の中年男は、しばしアイドル気分を味わったのだった。女学生のみなさん、おおきに!

ザルブナ女学園でも大受け

子ども病院を訪問

滞在5日目はカブール市内の「インディラガンジー子ども病院」へ。この国で唯一、高度治療ができる病院なので全国から重症の子どもたちがやって来る。まずはがん病棟へ。アフガニスタンではがんの子どもが急増している。原因は米軍が使用した劣化ウラン弾だと考えられている。頭髪が抜け落ち、頭に大きな腫瘍ができた子どももがいる。「インド製の薬では、激しい副作用が出る。日本やドイツの薬がほしいんだ…」。医師が苦しい台所事情を訴える。そんな中、まずは鶴笑さんの手品。手品の意味が分からないのか、苦しくて笑う余裕がないのか、丸坊主の子どもはベッドの中で弱々しく微笑むのみ。付き添いの母親はビックリして目を丸くしている。続いて阪野さんの手品、三金さんの風船アート。病室の子どももたちの表情が笑顔に変わっていく。あー良かった。

口唇口蓋裂症の子どもがベッドに横たわっている（写真）。妊娠初期、母体に何らかのショックが加わると発症する可能性が高まる。私たちの鼻や口は、胎内で別々に形成され、それが互いに結合して顔になる。この赤ちゃんの鼻と口は割れたのではなく「くっつかなかった」のだ。イラクでも同じような赤ちゃんを多数見かけた。早く原因を特定し、もしそれが劣化ウラン弾などの銃弾であれば、米軍は公式に謝罪と補償をしなければならない。

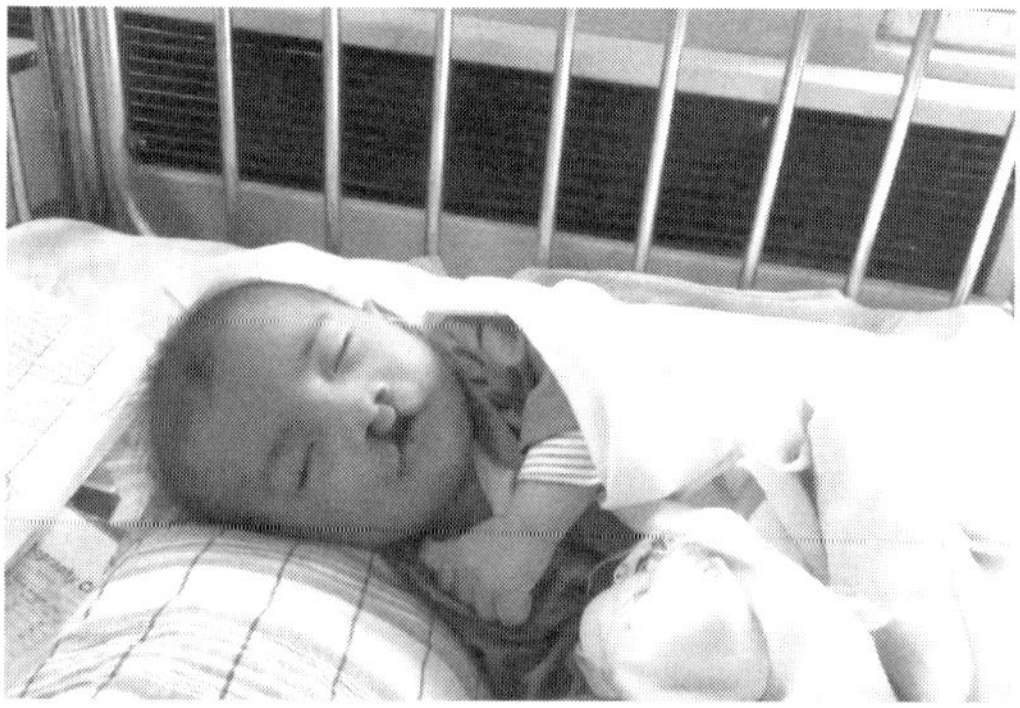
口唇口蓋裂の子ども

続いて外来病棟へ。「えらい数でんなー」。鶴笑さんが驚くのも無理はない。病室だけでなく、受付ロビーや廊下までベッドがあふれ出し、1つのベッドに子どもが2～3人、母親がベッドに張り付いている。患者の多くは栄養失調。「食料不足で母乳の出が悪く、危篤状態になった赤ちゃんが運ばれてくるのです」。医師の解説を聞きながら、母親に尋ねる「何でここまで放っておいたの?」「病院までの交通費がなかったの」。アフガン人の命はバス代より安いのだ。

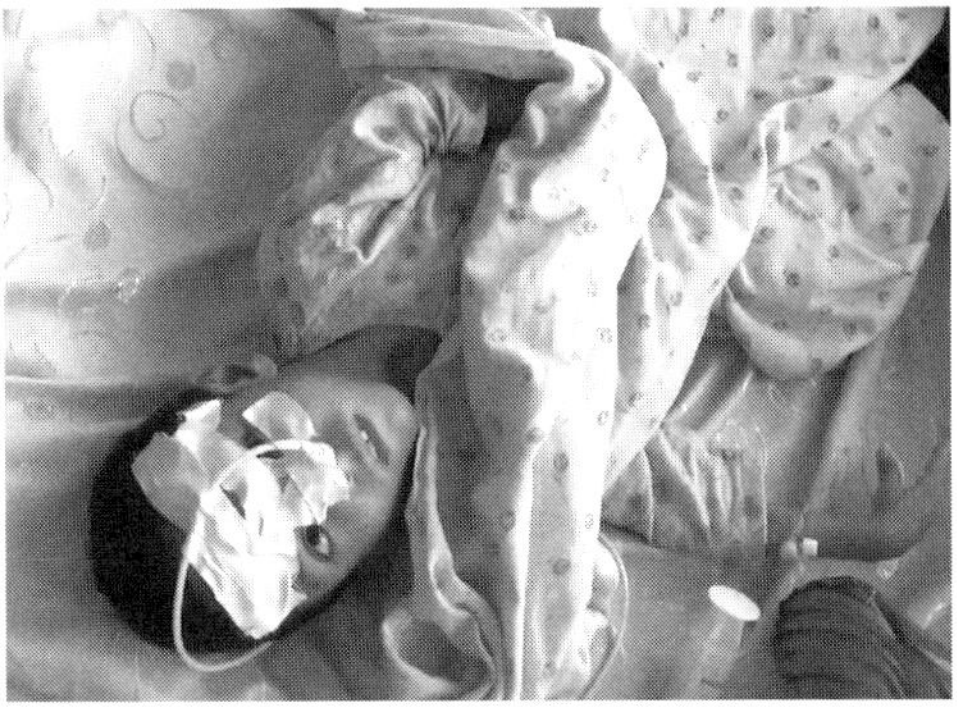

この子を捨てて逃げた母親、今頃後悔しているかも

「この子の母親は逃げてしまったよ」。ベッドに幼児が横たわっている（写真）。明らかに障害を持っている。貧困と絶望。母親は今どこで何をしているのだろう。

中庭に出る。頭にターバンを巻き、髭面の「タリバンのような男たち」が野宿している。お見舞いに来た父親たちが病室に入れず、ここで待機しているのだ。「えー、ひと月以上も?」ビックリする鶴笑さん。励ましてあげようと、即席の手品を披露。全然笑わない。「ね、不思議でしょー。拍手、拍手!」。懸命に盛り上げようとするも、鶴笑さんの手元を真剣に見つめるのみ。誇り高きパシュトゥン人男性は、「人前で笑ってはいけない」と教育されているのだ。「兄さん、すべってましたな」。三金さんのツッコミに、「タリバン、笑かすの難しいわー」。文化の違いを痛感した「お笑い便」だった。

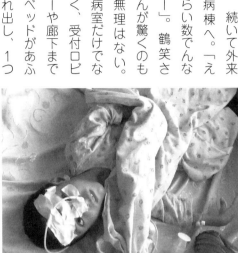

支援物資を配って空港に駆け込む

アフガンツアーもいよいよ最終日。本日は日本からの募金で小学校にノートとペンを、避難民キャンプに子ども用サンダルを配る。その後空港に駆け込み、午後3時発のカブール発ドバイ便に乗り込む予定。

朝9時、ホテルでスタンバイ。通訳のサバウーンが来ない。昨晩の「お別れパーティー」が原因だ。アフガニスタンでは酒の入手が困難で、公衆の面前で飲むのは御法度。日本からの焼酎を「ジャパニーズ・ミルク」と呼び、「いいちこ」の紙パックを店員や周囲の客にバレないよう回し飲み。高校時代、修学旅行の一夜を思い出す。「ミルク、最高！」。サバウーンは上機嫌で帰っていったのだが…。

「グッドモーーニング」。1時間遅れ、明らかに二日酔いのサバウーンとともに、まずは小学校へ。「サンキュー、ジャパーン！」子どもたちはノートを手にして満面の笑み（写真）。「早く早く、時間がないぞ！」サバウーンが叫ぶ。お前が言うか！

避難民キャンプでサンダルを配る。カブールの冬は寒い。雪が積もるテントで子どもたちは裸足だ。裸足だと傷口から細菌が入り、治るケガも治らなくなってしまう。サンダルは大いに喜ばれ、取り合いになった。「タシャクール（ありがとう）」。子どもたちがキャンプから手を振っ

ノートとペンを手にして「サンキュー・ジャパーン」

ている。時計の針は午後1時を示している。後は空港まで突っ走るのみ。募金いただいたみなさん、この場をお借りして御礼申し上げます。アフガン寄席、次回もできたらいいなー。

・アフガニスタンに笑いを届けてくれたメンバーの一人、桂三金さんが2019年11月永眠されました。故人のご活躍に感謝し、謹んで哀悼の意を表します。

桂三金さんのご冥福をお祈りします

カンダハール特別編

2009年10月、首都カブールから南部の主要都市カンダハールへと飛んだ。100人ほどの乗客中、洋服を着ているのは私と民間軍事会社の社員数人だけ。あとは全員が頭にターバンを巻いた民族衣装のパシュトン人。見ようによっては全員がタリバンに見えてしまう。

「カンダハールはタリバンの本拠地だ。誰に話しかけられても気安く応じるな」。通訳のイブラヒームもかなり緊張している。

約1時間のフラ

カンダハール空港。軍用ヘリを隠し撮り

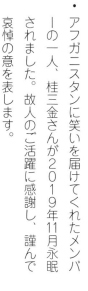

イトでカンダハール空港に到着。軍民共用の空港で、滑走路に並ぶ米軍の戦闘機やアフガン軍のヘリを隠し撮り（前頁の写真）。

ここは沖縄の普天間基地とは真逆の空港。周囲数キロにわたって一軒の民家も、高木も生えていない。近くに民家やビルがあれば、そこに隠れたタリバンがロケット弾を撃ち込む危険性がある。治安上の理由で、障害物を取り払った空港なのである。

空港を出て市内へのミニバスに乗り込む。洋服を着ている外国人は私だけ。乗客からの刺すような視線。私の緊張とは裏腹に、バスの車体には「西神中央文化センター」の文字。神戸の中古バスがここまで流れてきている。

「あー、ここが神戸やったらなー」。髭面の「タリバンのような男たち」に囲まれながら、思わず日本が恋しくなる。

カンダハール空港から市内への国道は、通称「仕掛け爆弾通り」と呼ばれている。米軍やカナダ軍の車列が頻繁に通るので、タリバンが仕掛けた路肩爆弾がよく爆発し、多数の犠牲者を生み続けている。

覚悟を決めて、この「仕掛け爆弾通り」を行く。10分も走れば、すぐに渋滞。「ファーン」。ひときわ大きな警戒音を出して、米軍の装甲車が割り込んでくる（写真）。全ての車は路肩によけて道をあけるし、通行人は直立不動。下手に動けば銃撃

交通ルールは全て「米軍優先」

されるので、人も車も「絶対服従」。

米軍、カナダ軍の戦車に混じって目立つのが大型トラック。カンダハル空港の拡張工事が行われていて、その資材や重機を運んでいる。

カンダハールは小さな街だ。メインストリートが東西に走っていて、中心部にラウンドアバウトがあり、巨大なモスクが建設途中でストップしている。これはタリバンの指導者オマル師のモスクだった。01年に9・11事件が勃発し、米軍がアフガン戦争を開始、オマル師が慌てて逃走したので、建設がストップしたままなのだ。

そのモスクから車で10分も走ると、ミルワイズ病院がある。この病院はインドが建てて、形式上はアフガンの現政権が運営しているが、実際には国際赤十字の手厚い援助のもとに成り立っている。

許可を得て中に入る。狭い病室にけが人があふれ返っている。手足を失った人、やけどの老人、全身穴だらけの少年…。

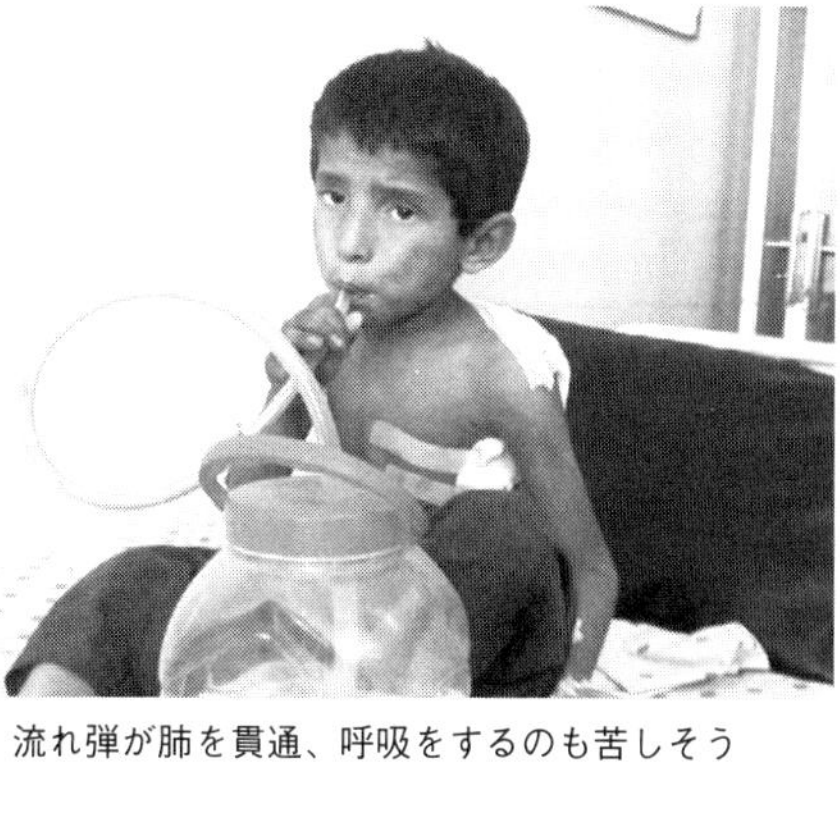
流れ弾が肺を貫通、呼吸をするのも苦しそう

タウラ君（写真）は米軍とタリバンの銃撃戦に巻き込まれ、流れ弾が肺を貫通した。わずか3日前のこと。「もうできないよ」呼吸訓練中の彼に「ブクブクしなさい。がんばらないと息ができなくなるよ」医師が励ます。
米軍の空爆、タリバンの自爆、仕掛け爆弾、地雷、クラスターの不発弾…。カンダハールは何でもあり。外科手術ができる病院はここだけなので、必然的に野戦病院状態になる。

そんな病院の通路、奥の方から抱えられてやってきたのは…。

ミルワイズ病院の通路で、叔父に抱えられたアッサン・ビビちゃん（9）（写真）と出会った。彼女は遊牧民の娘で、山の中で暮らしていた。2009年10月6日、いつものように羊を追いかけ、山の中でテントを張って寝た。

「悪魔たち」がやって来た。「不審なテントを発見。タリバンの拠点かもしれません。攻撃します」。米軍の戦闘機から放たれたミサイルによってテントは炎上。一緒に寝ていた姉2人と兄は焼き殺された。

米軍に誤爆されたアッサン・ビビちゃん

空爆後、地上部隊の米兵が調査にやってきた。「しまった。タリバンではなく子どもだった」。米兵は両親に誤爆したことを謝罪し、危篤状態のビビちゃんと叔父をヘリに乗せてカンダハル空港まで移送した。

「200パキスタンルピー（約220円）もらって、空港からこの病院にやってきた。俺たちはタリバンではない。なぜ空爆したんだ！」怒りに震える叔父の証言。

ビビちゃんが焼かれた3日後、オバマ大統領にノーベル平和賞が出た。叔父もビビちゃんもノーベル賞どころか、米国大統領の名前すら知らない。

「アメリーキー、ボンバー」（アメリカの空爆で…）叔父の悲しそうな証言が、狭い病室に響いた。

14歳の少年、サタール君（次頁の写真）がギプスをはめて横たわっている。自宅前で遊んでいたら－SAF軍（国際治安支援部隊）のロケット弾が直撃した。左手はこれから切断される。別の病室に両足を負傷したディマ君（14）が横たわっている。ディマ君は遊牧民だった。米軍の車列が通りかかった。珍しいので眺めていたら、緑の光線を浴びた。次に赤、そして銃撃。「僕はただ立っていただけなんだよ」。実は私にも経験がある。カンダハルの国道を通行中、前を走る米軍の戦車が突然緑のフラッシュライトを発光させた。「離れろ！」イブラヒームが運転手に叫ぶ。米軍に近づきすぎると、まずは緑、次が赤、それでも距離を取らないと撃たれるのだ。「もう羊を追いかけられないよ」。米兵には14歳の遊牧民もタリバンに見える。2人のうち、どちらかが「ニュータリバン」になっても不思議ではない。そして戦争は泥沼化し、延々と続いてしまう。

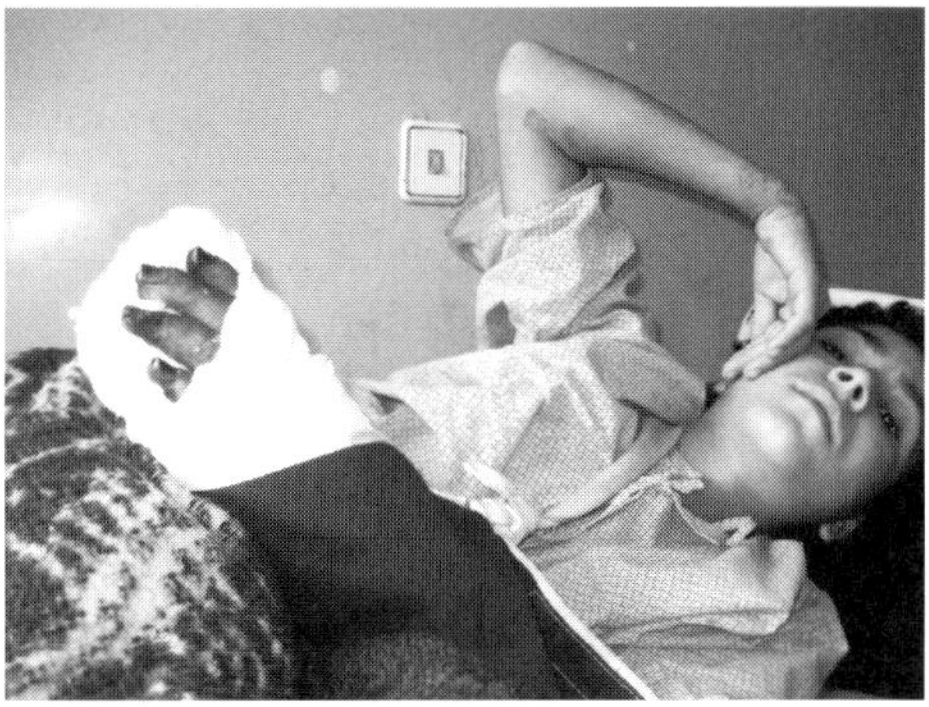

ISAF 軍に撃たれたサタール君、左手は切断する

＊以上が毎日新聞や共同通信に書いたカンダハールルポを加筆修正したものである。実はルポに書かなかった通訳イブラヒームとの会話がある。以下紹介する。

ジョジョの物語

アフガン取材において、私はムスタファホテルのマネージャーであるイブラヒームを通訳に選んだ。彼はカブール生まれのパシュトン人で、タリバン時代はパキスタンに逃げていた。彼の親族はカブールの裕福な一族で、2001年にタリバン政権が崩壊すると、カブール中心街にいち早くム

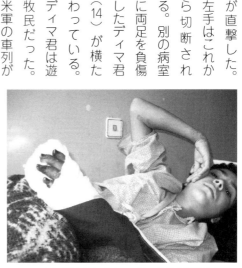

スタファホテルをオープンさせた。01年当時、カブールのホテルといっても最上級のインターコンチネンタルホテルと、このムスタファ、改装前のセレナホテルくらいしかなく、アフガン取材にやってきたジャーナリストたちで、ホテル客は一杯だった。

外国人が多数やってきたのと、タリバンによる極端なイスラム支配のくびきから逃れた解放感から、ホテルオーナーであるイブラヒームの叔父は2階にショットバーを開いた。

タリバン政権が崩壊したとはいえ、アフガニスタンでショットバーを開くというのは、勇気ある決断である。叔父はバーの従業員を数名雇ったのだが、その中にバーミヤン出身のハビーブがいた。20歳そこそこのハビーブは、よく働くハザラ人で、みんなからジョジョという愛称で呼ばれた。年齢が近いこともあって、ジョジョとイブラヒームは主従関係というより友人のような関係だった。

ある日バーの営業が終わり、イブラヒームはバーミヤンのことについて何気なく尋ねた。01年に大仏がタリバンによって爆破され、ほとんどのアフガン人にとって、バーミヤンの出来事は気がかりだった。

「バーミヤンのことが聞きたい？ よしお前だけに本当のことを教えてやろう」。酒が回っていたのかその日のジョジョは饒舌だった。

あれは１９９９年のことだった。

ヘラート、カブール、マザリシャリフ。次々と主要都市を陥落させたタリバンが、ついにバーミヤンに迫ってきた。バーミヤンはハザラ人の町。パシュトン人のタリバンの攻撃を受けて、人々は降伏せず戦うことを選んだ。

タリバン兵はすぐには攻めてこなかった。バーミヤンを囲うようにして兵糧攻めにしたのだ。

１ヶ月、２ヶ月、そして３ヶ月が過ぎた。町の人々は家畜を食べつくし、雑草や木の皮を食べて飢えをしのいだ。

やがて「究極の選択」を迫られる日がやってきた。

ジョジョの親族が家に集まった。男はみんな銃を持っていた。家の中で息を潜める。ガサガサッ、音がする。家の前を通行人が通っている。男たちは何も言わず銃を握りしめる。

ズドンッ。通行人（近所の仲間）を撃ち殺し、家に運ぶ。飢えた家族は、男の皮をはぎ、その肉を食らった。

「そうさ、俺たちは人肉を食べて生き残ったんだよ」。ジョジョの告白に凍りつく。「でも他にどうすれば良かった？　殺さなければ殺されて食われる。極限状況だった」。

ジョジョがこの話をしたのは、後にも先にもこの日だけ。

ムスタファホテルのバーはその後閉鎖され、ジョジョもどこかへ行ってしまった。イブラヒームは、今も不思議に感じている。なぜ彼があの日だけ、あんな告白をしたのだろうか？

あの日からもう4年が経過した。ジョジョは今どこにいるのだろう？

カンダハールのホテルでイブラヒームがなぜ「この話」をしてくれたのか？

頻繁に停電するカンダハールの夜、もちろん外出は厳禁。昼間に米軍の空爆で傷ついた人々を見てきた私たち。理不尽に殺されていく人々を見て、イブラヒームは私にだけ、そしてあの日だけに「この話」をする気になったのではないか？　カブールに戻ってからは一切この話を口にしなかったし、私も聞こうとしなかった。思い出すだけでも狂いそうになる友人の経験、はるか日本からやってきた私、そして昼間見た悲惨な光景の数々。数ある条件が揃わないと、「この話」は出てこなかったのではないか？

カンダハールを訪問した後に、イブラヒームと私はアフガニスタン東部のジャララバードに入った。私たちは偶然、そこで中村哲さんと出会い、用水路事業を取材した。イブラヒームは「素晴らしい人だ。この人にノーベル賞を」と感動していた（写真）。この時の映像を30分ほどのDVDにまとめている。ご希望の方は、nishinishi@r3.dion.ne.jp まで連絡してくだされば、郵送する。

中村さんの事業を目の当たりにして感激するイブラヒーム

優秀なイブラヒームは、その後米軍の通訳としてバグラム基地に出稼ぎに行った。その後の彼とは連絡が取れないままだ。アフガニスタンでは米軍に協力した人物は狙われる。彼の無事を願う。

第2章 フランス＆ドイツの片隅で

シャルリーエブド事件、パリ同時多発テロ事件の取材でフランスを、ドイツ国際平和村の取材でドイツを訪れることになった。フランスで感じたのは「働く人々の抵抗運動」だった。パリのホテルで注意されたのは「空港へは3時間前に出発すること」だった。通常は1時間ほどで到着するのだが、地下鉄やパリ国鉄がいつストライキをするかわからない。なので早めに出発を。

日本ではほぼ死語に近いストライキがこちらでは日常。年金の改悪反対、賃金引き上げなどを求めて労働者が集まり、ストライキで対抗する。これは働く者にとっては当たり前の権利であり、このような抵抗運動があるからこそ、社会全体のボトムアップが実現する。「信号機の故障で到着時間が1分遅れました。お詫びいたします」。日本の鉄道でよく聞くアナウンス。「なんで謝らなあかんの？」。フランス人なら首

ベルリンで地ビールとソーセージを！

をかしげるだろう。むしろ、そんな窮屈な管理体制が尼崎事故を起こした遠因だ、と指摘されるだろう。

ドイツで感じたのは「国際的な視野の広さ」だった。観光名所のベルリン・ブランデルブルク門では「アメリカはサウジに武器を売るな」「サウジはイエメンから手を引け」。こんなメッセージボードを掲げた若者たちがいた。これが普通の光景なのだそうだ。東京タワー前に「自衛隊は中東に行くな」「トランプから武器を買うな」などのメッセージボードを掲げる若者たちを見かけることはない。

いや、かつての日本も70年代まではストライキが実施され、大幅な賃金引き上げが実現していたし、若者たちのベトナム反戦運動が世論を引っ張っていた。なぜ日本だけがこんな事態になっているのだろう？

愚痴をこぼしても仕方ない。フランスやドイツのいいところを見習って、日本の働く者たちが今一度、連帯して悪政に立ち向かわねばならない。いきなり「堅めの文章」を書いてしまったが、本文は柔らかい(笑)。では「フランス&ドイツの片隅で」繰り広げられたエピソードをどうぞ。

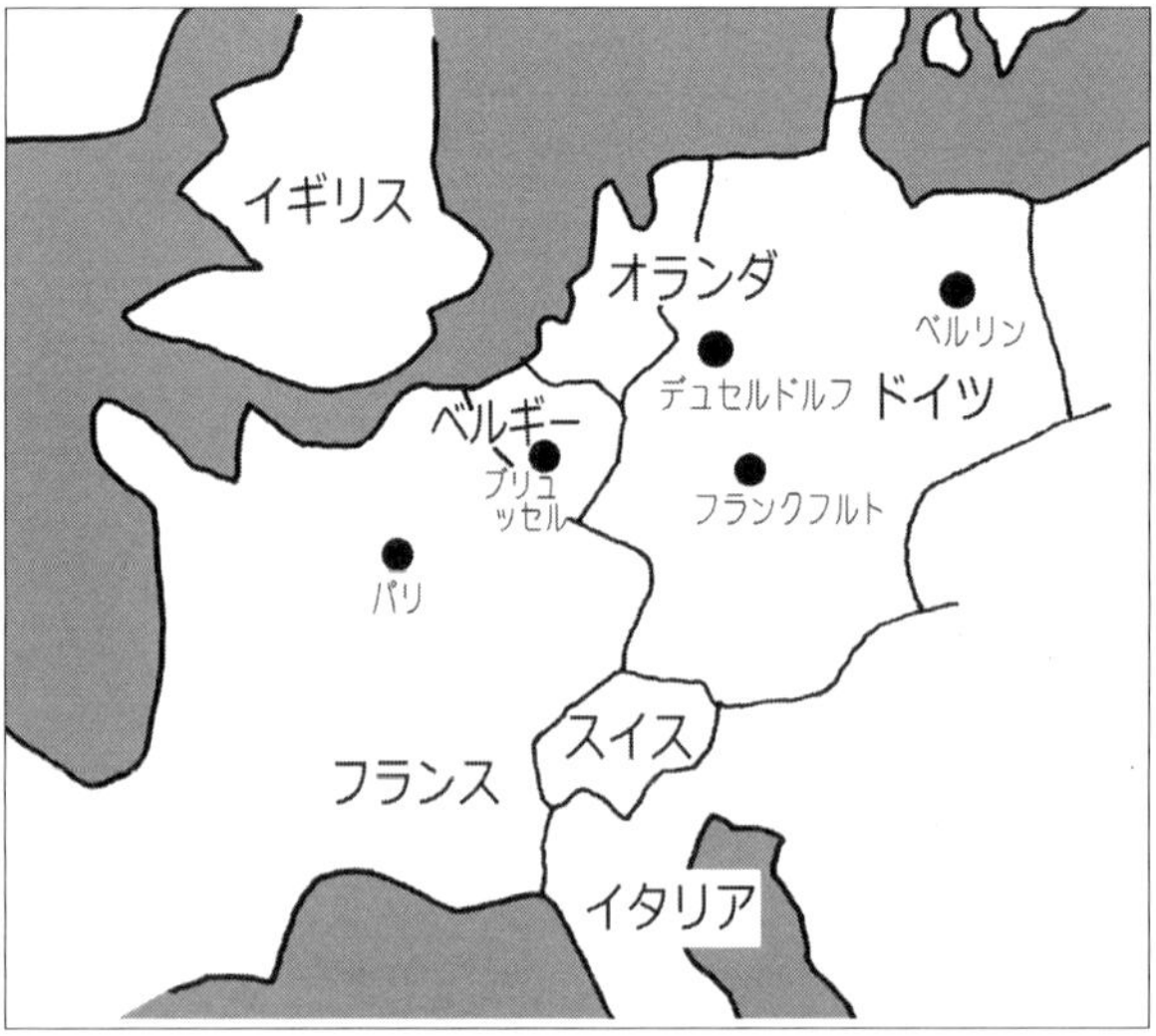

助け合うアラブとユダヤ

パリの中心部、セーヌ川のほとりに大モスクがある（写真）。北アフリカのアルジェリアやモロッコはかつてフランスの植民地だった。この地域からやってきた移民たちは第１次世界大戦に狩り出され、フランス兵士として戦った。彼らの多くはムスリムだった。そのご褒美として都心に敷地が与えられ、１９２６年にこのモスクが建造されたのだ。13年後の１９３９年９月、第２次世界大戦が勃発。ナチス・ドイツは圧倒的な軍事力で勝利を重ね、支配地域を広げていく。１９４０年６月、パリ陥落。花の都にドイツ軍がやってきた。パリのユダヤ人が次々と強制収容所に送られていく。収容されたユダヤ人の子ども１万１４０２人のうち、生き残ったのは約３００人だった。「見つかれば自分も殺される」。そんな恐怖を乗り越えてユダヤ人をかくまい、安全なフランス南部へ逃がそうとする人々がいた。そんな救出運動の中心がこの大モスクだったのである。

パリ・大モスクには地下通路があって…

当時のイスラム指導者はナチスと良好な関係を築いていて、イスラム教徒は迫害されなかった。モスクに逃げて来たユダヤの子どもたちを、イマーム（礼拝指導者）の家族の中に紛れ込ませた。ドイツ軍がモスクにやってくる。イマームの部屋に合図のベルが鳴る。慌てて子どもたちを女性用の礼拝室に隠し、部屋の前でイマームが身体を張る。「この部屋は女性しか入れません。お引き取りください」。モスクには秘密の地下道があって、セーヌ河畔に通じている。深夜、子どもたちは地下道を抜けてセーヌ川へ。ワイン運搬船が停泊している。ワイン樽は全て空っぽ、子どもたちはその空樽に隠れてパリを脱出していった…。

2015年に訪れた時、大モスクは観光客で一杯だった。「アラブがユダヤをかくまった」歴史については、どこにも紹介されていなかった。イマームに「秘密の地下道を見せて」と頼んでみた。「本当はダメだけど…」彼は小さくウインクして、礼拝室の扉へ私を導いた。扉の向こうにまた扉。あった！ 地下道は今もセーヌ川へと続いていた。

パリの「愛ある広告」

パリの地下鉄はアルジェリア系移民のカビール人労働者が造ったものだと言われる。度重なる戦争で若者を戦場に送り出してきたフランス。労働力が不足していたので、北アフリカのアルジェリアに住むベルベル系のカビール人を受け入れて、働かせたのだ。これは日本が朝鮮半島の労働者を徴用して、大阪空港の建設や新日鉄などの軍需工場で働かせていたのと同じ構図だ。

パリ市内を走る地下鉄は結構浅いところを走っている。当時は地下に障害物などなく、人力での工事だから浅いところで十分だった。逆にウクライナの首都キエフの地下鉄は核攻撃に備えていたので、地底に沈むかと思うほど深かった。パリ地下鉄は核兵器のない、世界大戦がまだ勃発していない1900年、パリ万博に合わせて1号線が掘られた。当然古い地下鉄ほど浅く、新しい路線ほど深くなる。大阪でも御堂筋線が浅く、長堀鶴見緑地線は深い。14号まである地下鉄の8号線に乗り込んで駅の看板を見ると、若い男女が艶めかしく「ミニトマトのようなもの」を口にくわえている（写真）。「セリブ・パリ・ドットコム」と大書され、フランス語で「入会無料」と書いてある。これは、「独身者用出会い系サイト」の広告だったのだ。日本なら「その種の雑誌、夕刊紙」にこっそり載っている広告が、パリでは地下鉄の駅中に堂々と掲げられている。さすがパリ！「独身用」があれば、既婚者、つまり「不倫用」もあるそうだ。さすがに「不倫用」の看板は駅で見かけなかったが。

パリの出会い系サイトの看板

あの週刊新聞は今

フランス取材では地下鉄を多用した。乗客の中にはスマホをいじっている人もいたが、日本より圧倒的に少なくて単行本や新聞を読んでいる人が多かった。なぜ乗客の姿を観察していたかというと、それはシャルリーエブド事件である。果たしてあの新聞は今でも読まれているのだろうか？事件後も週刊新聞紙シャルリーエブドは発行を続けているのだが、読んでいる人は見かけなかった。

駅前のキオスクへ。日本の浮世絵を表紙にした雑誌があって、欧米、日本、中国など、各国の「夜の生活」がイラスト入りで紹介されている。そんな雑誌に紛れて、シャルリーエブド紙が販売されていた。（次頁の写真）

映画「ミッション・インポッシブル／ローグネイション」が上映されていた頃で、オランド大統領が飛行機にしがみつき「2017年のクラッシ

キオスクで「シャルリーエブド紙」を見つけた

ュから逃げるぞ」と叫んでいる。フランスも不況に見舞われていて、失業率は上昇中。大統領の支持率は伸び悩んでいる。この状態で「2017年の大統領選挙を乗り切れるか」という風刺漫画だ。

大統領の足にしがみついているのは、女優のジュリー・ガイエさん。大統領の愛人と噂されている人で、「2013年の大晦日に2人だけの夜を過ごした」とフランス芸能紙にすっぱ抜かれてしまった。記事によれば、大統領はスクーターに乗りガイエさんの自宅に足繁く通っていたとか。その間、警備兵はわずか1人。テロ事件が続き、「パリは危険」というイメージがついてしまったが、大統領以下、みんな平和に過ごしていたのである。

現地で歴史を思い出す

パリを訪れるのなら8月がオススメ。市民の多くがバカンスで郊外に出払っていて、市内はあまり混んでいない。日本のような猛暑でもないので雨が降ると寒いくらい。パリは移民の町でもあり、中国系、アラブ系、アフリカ系の人々が町を闊歩している。肌寒い小雨の朝、地下鉄に乗ると白人は半袖で黒人はコートを着込んでいる。（左の写真）

地下鉄バスティーユ駅の壁面には、フランス革命で市民たちが一斉に立ち上がり、バスティーユ牢獄を襲撃する様子が描かれている。

バスティーユ広場へ。1789年7月、民衆が襲撃したバスティーユ牢獄は、革命後に解体されたので今はない。牢獄跡地が広場になっていて、その中央に7月革命記念塔が立ち、革命に命を捧げた人々の名前が刻まれている。

「7月革命」と言うからには、この時のことかと思いきや、これは1830年の7月革命を記念したもの。1789年に一度没落したブルボン王朝が、ナポレオン1世の失脚により1815年に王政復古。その後、またしても市民生活を苦境に陥れたので、1830年の7月革命でトドメが刺された。中学、高校時代に習ったかな、どうやったかな？という「曖昧な記憶」が、現地でよみがえってくる。ちなみにかの有名な凱旋門はナポレオンがオステルリッツの戦いに勝利した記念に建てられた。知らんこと、忘れていることばっかりやな。

白人は半袖、黒人はコート

ベートーベンとナポレオン

パリのコンコルド広場は、ルイ16世とマリー・アントワネットがギロチンで処刑された場所で、中央にはオベリスクがそびえ立っている（次頁の写真）。このオベリスクはナポレオンがエジプトから奪ってきた、という説もあるのだが、どうやらこれは間違いで、エジプトがフランスに寄贈したものだそうだ。こんな大きな塔をどうやって運んだのかな？なぜナポレオン説が出てきたのかな?　など「?」がいっぱいになるが、それほどナポレオンの存在が大きかったのだろう。

　以下は大阪大学の木戸衛一准教授からの受け売り。

コンコルド広場のオベリスク

　ベートーベンは1770年にフランスに近いドイツのボンで生まれた。1789年フランス革命当時は、青春真っ盛りの19歳。革命の精神とナポレオンに共感したベートーベンは、交響曲第3番「英雄」を作曲。しかし「人民の英雄」だったはずのナポレオンが皇帝に即位する。「人民の支援で英雄になれたのに、その人民の上に立つなんて!」。激怒したベートーベンは、「英雄」の楽譜をペンで破り捨てた。「自由、平等、博愛」という革命の精神に反するというわけだ。耳が聞こえなくなったベートーベンはその後も作曲を続け、やがて彼の思いは交響曲第9番「歓喜の歌」につながっていく。日本でも年末になると、各地で第九が歌われるのは、やはりこの曲に強烈な力と愛がこもっているからだろう。ちなみに歌詞はシラーが書いたが、最初の3行はベートーベン自身が書いたもの。「おお友よ、もっと歓喜に満ち溢れる歌を歌おうではないか」。年末は第九を聴いて、ラブ&ピース!

心にカギはかからない?

　2019年4月、世界に衝撃が走った。パリのノートルダム大聖堂が火事になり尖塔が崩落、屋根が崩れ落ちているではないか! 現在修復工事中のノートルダム寺院を訪れたのは2016年のこと。高さ35メートル、奥行き100メートルの巨大な教会が建設されたのは1163年。くい打ち機もクレーンもない時代に、よーこんな大きいもの作ったなー、と思わず見上げてしまう。ノートルダムとは「私たちの貴婦人」という意味、つまり聖母マリアに捧げられた大聖堂なのである。大聖堂はセーヌ川の中洲、シテ島に建っている。パリ観光の定番となっていて観光バスはもちろん、ひっきりなしに通り過ぎるクルーズ船からも多くの観光客がシャッターを切っている。セーヌ川のほとりにはパリの芸術家が集まって来て、彼らが描いた絵が路上で販売されている。絵の値打ちなど全く分からないが、「この雰囲気に飲まれて、高い絵を買わされるんやろな」などと、つい警戒してしまうのは貧乏人の性なのか？

大聖堂のすぐ東側にアルシュブジェ橋が架かっていて、橋の欄干には無数の南京錠。子ども連れの中国人観光客が、持参した南京錠をかけて記念撮影に収まっている（写真）。実はこの橋に南京錠をかけたカップルは、末長く別れることなく幸せになるそうな。「欄干が重くなって橋の強度が弱まる」。フランス当局が南京錠を規制しようとしたらしいが、観光客はそんなことお構いなしに次々とカギをかける。「統計によると、カギをかけたカップルのうち、約半分は別れているそうですよ」。そんなもんやろなー、通訳の解

ノートルダム寺院の橋には無数の南京錠

説に思わず頷く。

「惜しい」日本料理に舌鼓

1996年、旧ユーゴの内戦取材のためオーストリアのウィーンに立ち寄った。ウィーンではすでに寿司バーが存在し、日本人のふりをした台湾人が寿司を握っていた。メニューを見ると「生タコにぎり」のところに「チャレンジ！」と書いてあった。ヨーロッパではタコは食べないのかな？タコ好きの私には少し不思議だった。あれから約25年、寿司バーは世界中に広がり、ドバイでは回転寿司まで現れた。パリでも日本食はちょっとしたブームのようで、街を歩くと中華料理店や韓国料理店と並んで、「SUSHI」「YAKITORI」の看板が目立つ。脂っこいフランス料理に飽きたので、寿司でも食おうかと店内に入る。「イラッシャイマセー」中国人と思しき店員がメニューをもって来る。NOS MENUS（私たちのメニュー）という文字の下に焼き鳥の写真があって、日本語で「混ぜる」。おそらく「焼き鳥の盛り合わせ」のつもりだろう。大きな舟盛りに刺身ではなく、寿司とエビフ

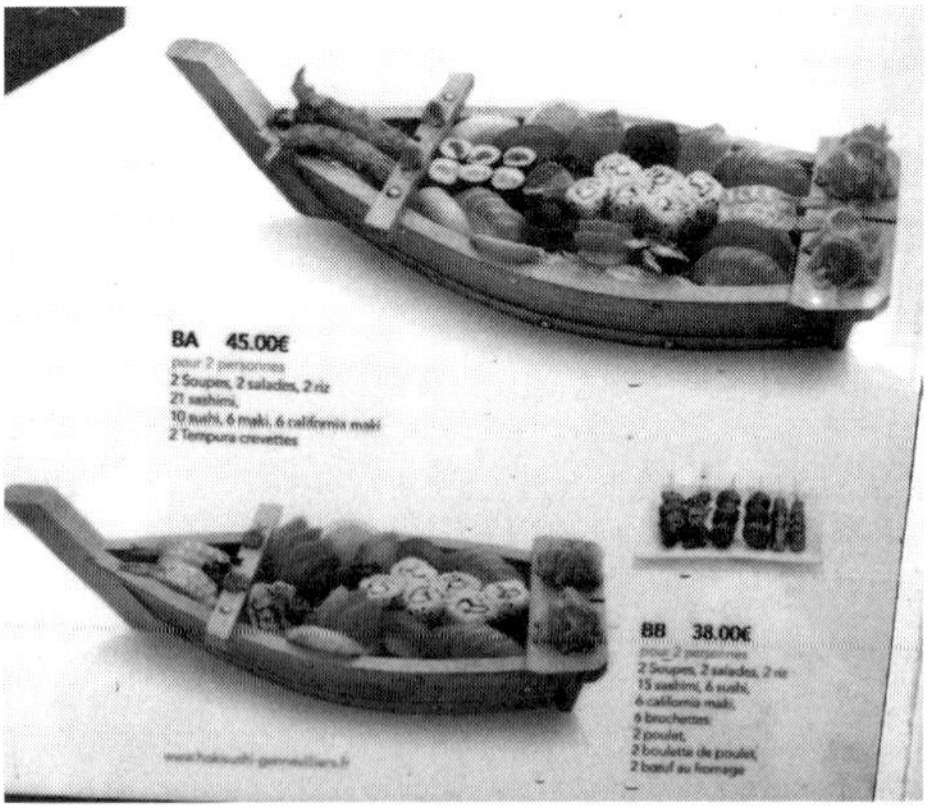

〈左〉エビフライ入りうどん　〈右〉舟盛りに寿司、エビフライが乗っている

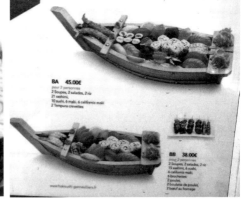

ライが乗っている（写真）。「オイシーデス」。店員が勧めてくれる。「舟には刺身だけを盛るんだよ」。説明するも日本語は通じなかった。英語で尋ねると、スタッフは全員中国人だった。天ぷらうどんの写真には、天ぷらではなくエビフライが浮かべてあった。（写真）すべてのメニューが「惜しい」のだ。もうあと少し勉強したら「日本食っぽく」なるのにな。フランス人たちはそんな「惜しい」メニューを真剣に眺めて「スシ、テンプーラ。トレビアン！」満足そうに頬張っていた。

ベルギーのスーパードライ

パリ北駅からタリスに乗る。この電車は「EUの新幹線」というべきもので、パリからロンドン、アムステルダムなどを結んでいる。その中の1つベルギーのブリュッセル行きに乗り込む。タリス乗り場の改札で大混雑。金属探知機による手荷物検査のためだった。2015年8月、武装した男がタリス内で銃を発砲。犯人はイスラム過激派で、たまたま居合わせた米兵の乗客たちに取り押さえられ、幸いなことに死者は出なかった。金属探知機はこの事件後に取り付けられた。現在、日本の新幹線乗り場に金属探知機はない。ヨーロッパに比べると日本は平和だ。このまま「金属探知機のない新幹線」でいてほしい。

物騒な探知機を通れば、全席指定の快適な旅の始まり。新幹線並みのスピードで窓の景色が後方へ飛んでいく。パスポートチェックなしでベルギーに入国。緑の畑が広がる平原を走行中、携帯に「ソフトバンクからのお知らせ」が入る。フランスの携帯会社からベルギーへ変わったよ、という知らせが来るだけ。改めて「国境なんてない方がいいな」と感じる。残念ながらそんな「EUの理想」を逆手にとったベルギー出身の犯人たちが、「潜入しやすい」パリにやってきてテロを起こしたのだが。

ブリュッセルに到着。歴史ある王朝の建造物と土産店が並ぶ。チョコレートやワッフルのお店に並んで「極度乾燥しなさい（Superdry Store）」（写真）。何を売っているのかな？

「極度乾燥しなさい」って？

ブリュッセルで「がっかり」する

よく知られた有名観光スポットでありながら、「なにこれ？」と拍子抜けする場所がある。「世界三大がっかり名所」は、デンマークの人魚姫、シンガポールのマーライオン、そしてベルギーの小便小僧だと言われる。学生時代、酒に弱い友人を一気飲みさせて大変なことになった。以後、仲間内で彼のことを「マーライオン」と呼んでいたことがある。金がなくて世界旅行など夢物語だった学生時代でも、すでにマーライオンは有名だった。

　ベルギーのブリュッセル市役所は中世の歴史的建造物で、商店街にはワッフル屋さんやチョコレート屋さんが続く。商店街の細い通りに小さな広場があって、そこに人だかり。「えっ、これがかの有名な…」（左の写真）。確かに小僧の「その部分」から水がチョロチョロ出ている。手前の少女と比べてほしい。かなり「しょぼい小僧」だということがわかる。ちなみにこの小便小僧、オリジナルは1960年代に盗まれてしまって、現在のものはレプリカだとのこと。そうか「本物」と違うんや、さらにがっかり。土産物屋さんの店頭に

ワッフルをくわえたプラスティック製の小便小僧が立っている。こっちの方が断然大きい。ちなみに「日本三大がっかり名所」は長崎のオランダ坂、札幌の時計台、高知のはりまや橋なのだそうだ。あえて訪れてみて「がっかり感」を楽しむのもいいかもしれない。

ブリュッセルの小便小僧

いざ、ドイツへ

２０１７年8月、ベルリンを訪問した。ベルリンはドイツの首都、「日本からの直航便があるだろう」と思っていた。ところが直航便がない。戦後東西に分かれたベルリン、そのせいで大きな空港を造ることができなかったのだ。ドイツに入るにはミュンヘンかフランクフルトからが一般的。熟慮の末、フランクフルトを選ぶ。

「本日のフランクフルト、最高気温は22度」。猛暑の中、ネットで天気予報をにんまりと眺める。涼しいドイツで地ビールとソーセージ！　ちなみに直径20ミリ以下のソーセージをウインナー・ソーセージと呼び、20ミリから36ミリをフランクフルト・ソーセージと呼ぶのだそうな。子どもの頃、ウインナーは地名ではなくソーセージと信じ込んでいた私は「ウインナー・コーヒー」の存在を知った時「コーヒーにソーセージ！」とビックリしたものだった。

　気温35度超の関空からフランクフルト国際空港に降り立つ。気温19度、おー快適快適。電車でフランクフルト中央駅へ（写真）。ここは開業したのが19世紀（1888年）という歴史あるターミナル駅だ。この駅からヨーロッパのほとんどの都市へ行ける。案内板を見ればアムステルダム、パリ、ブリュッセル、ウイーン…。いったんEUに入ってしまえばパスポートチェックなし。都市を結ぶのがICEと呼ばれるドイツの新幹線。アムステルダムまでは約4時間なので「新大阪から仙台へ出張します」という感覚。ギリシャの財政破綻問題や、まさかのブレグジット、いろいろ問題は抱えているが、EUは一つにまとまっていた方がいいのだ。

フランクフルト中央駅

文豪の悩みは恋の悩み

　フランクフルトの下町にゲーテハウスがある。ここは文豪ゲーテの生家で、青年期までをこの家で過ごした。ゲーテハウスは第2次大戦で破壊されてしまったが、戦後忠実に再現されてハウス全体が小さな博物館になっている。一家は芸術を愛したようで、ゲーテの父親はモーツァルトのコンサートを主催している。ゲーテとモーツァルトは同時期の人なのだ。ハウスの2階にはピラミッド型のピアノ（写真）、3階には数多くの絵画、そして4階にゲーテの机が陳列されている。前面の壁にはシルエットが2つ。左のシルエットがゲーテ自身で右が恋人シャルロッテ（写真）。ゲーテはとある舞踏会でこのシャルロッテと出会い、狂おしいほどの恋

〈左〉左がゲーテで右がシャルロッテ

〈右〉ピラミッド型のピアノがあった

に落ちた。しかし彼女にはすでに婚約者がいた！その体験をもとに「若きウエルテルの悩み」（すいません、読んでません）を書き上げる。この机でゲーテが苦悶していたかと思うと、ちょっぴり親近感がわいてくる。ちなみに「お口の恋人ロッテ」は、このシャルロッテから来ているのだった。「狂おしいほどガムやチョコを愛して」ということだろう。青年ゲーテはこの机で大作「ファウスト」（すいません、読んでません）の構想も練っていたという。シャルロッテとの大恋愛の後も、7歳上の人妻と恋に落ちたり、70歳をすぎてから17歳の少女に求婚したり、「こらゲーテ！何しとるねん」状態。難しそうなゲーテ作品も歴史を知ると親しみがわく。一度読んでみよかな。

黒ビール！と注文すべし

ベルリンのシンボルは何と言ってもブランデンブルク門だろう。門の上部に四輪馬車と女神ヴィ

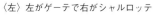

クトリアが飾られていて、テレビや映画でよく見る光景（写真）。かつてのベルリンは城壁に囲まれた要塞都市で、地方都市に通じる大通りに門が建設された。市街地に建てられた門は、関税をかけるための関所だったそうな。

ベルリンのシンボル、ブランデンブルグ門

門から伸びる大通りはウンターデンリンデン（「菩提樹の下」という意味）といって、これまた観光名所である。雑踏の中を、強烈な夏の日差しを浴びて歩く。日本より涼しいドイツだが、夏の昼下がりはそれなりに暑い。ここはビールを飲んで休憩だ。裏通りのレストランに駆け込む。「何にする？」親父が地ビールのメニューを持ってくる。何十種類とある銘柄を眺めながら日本語でつぶやく「黒ビールがいいな」。すると親父は大きくうなずき、厨房に去っていく。数分後、3つのグラスに色の違うビールを乗せて親父が現れた。「まぁ飲んでみろ！」。えっ試飲できるの？ 出てきたのはミュンヘンの「ヘレス」、デュッセルドルフの「アルト」、ベルリンの「バイセ」。後でわかったのだが、「黒ビール！」をドイツ語の「プロビィーレン」（味見）と聞き間違えたらしい。やった、3種類の地ビールを同時に楽しめるなんて！ 私のオススメはミュンヘンの「ヘレス」。やっぱりビールはミュンヘンなのだ。読者のみなさん、ドイツでレストランに入ったら「黒ビール！」と注文してみてください。

壁をまたいで考える

世界遺産のブランデンブルグ門から南東へ約1キロ歩くと「チェックポイントチャーリー」に出る。1961年にベルリンの壁が建設され、ここは「東西を分ける検問所」として冷戦の象徴となった。壁の崩壊後は「どこに壁があったか」を道路上にマークで示している。まずは東西を分ける壁をまたいで記念撮影（写真）。当時の看板が残されている。英、露、独語で「ここから米国支配地域。武器を捨てろ！」とある。この看板の下には当時の米兵に扮した若者がいて、星条旗を振りながら観光客と記念撮影。土産物店には「壁のかけら」が販売されている。平和だ。

チェックポイントチャーリーで「壁」をまたぐ

検問所跡地には多数の歴史的な写真が飾られていて、米国のケネディー大統領や旧ソ連のフルシチョフ書記長が視察に訪れた様子がわかる。これは東ベルリンの兵士が壁に殺到しているところ（写真）。キューバ危機（1962年）の際、西ベルリン市長がわざと東へ聞こえるように演説した

西ベルリン市長の演説を聞く東の兵たち

時のもの。キューバでミサイル戦争、つまり東西が「熱い戦争」を起こせば、まちがいなくベリリンも戦場になる。「なんとか危機を回避してほしい」。東の兵士たちは祈るような気持ちで西ベルリン市長の報告を聞いていたのだ。壁があっても音声は届く。全てを遮断することはできない。残念ながら今、米国ではトランプ大統領がメキシコ国境に壁を作っている。これで一時的に人の流れは止まる。しかし「人の心に壁を作ることはできない」。いつかメキソコの壁も崩壊する、きっと。

暗号名はワルキューレ

ベルリンの「シュタウフェンベルク通り」にナチス時代の国防省がある。第2次大戦後、この建物はそのまま「ドイツ抵抗記念館」になっていて、玄関に1944年7月20日という数字と、将校たちの写真が飾られている（写真）。一番左のイケメン青年が、地区の名称にもなったシュタウフェンベルク大佐で、「ヒトラー暗殺計画」の実行者である。彼は貴族の出身で、北アフリカ・チュニジアでの戦闘で左目と右腕を失っていたためボディーチェックがゆるく、計画遂行に適役だったとされる。この「7月20日作戦」はコードネーム「ワルキューレ」と呼ばれていて、これはトム・クルーズ主演の映画にもなっている。総統大本営での御前会議、作戦時間はわずか10分。大佐が会議室にアタッシュケースを置く。中には数分後に爆発する爆弾。大

ドイツ抵抗記念館の写真、左がシュタウフェンベルク大佐

急ぎで会議室から抜け出す大佐。やがて大爆発…。暗殺計画は成功したかに思えたが、ヒトラーはすんでのところで救出されていた。ヒトラーはその後極度の人間不信になったという説もあるし、「神がかり的に助かった」ことで、自分を万能の神と信じてさらに暴走を強めたという説もある。抵抗記念館前の広場には両手を縛られた青年の像。暗殺計画に関わった軍人たちがここで報復処刑されたことを悼む記念碑である。

独裁者の暴走をどう止めるか？　暗殺計画は失敗したら逆効果。ベルリンの壁は民衆の平和的なデモで崩壊した。やはり抵抗運動はクーデターではなく、デモや集会、選挙であるべきだ。

ただ右手を上げなかっただけで

抵抗記念館にはこの軍人たちをはじめ、ナチスに抵抗した様々な人々の写真が飾られている。ハーケンクロイツ、あのカギ十字マークに大きな斜線が入った旗を持つ人々。説明文には「１９３２年の反ナチス集会。ヒトラーが政権を取る１９３３年まではこのような集会も可能だった。参加者の多くはその後、収容所へ入れられた」とある。

一人だけ腕組みをした男性。前線に送られ戦死する

その隣にやや大きめの写真。１９３６年６月、ハンブルグ港で新しい軍艦が出航する。群衆が右手を上げてハイル・ヒトラーのポーズ。その中に一人だけ腕組みをする男性がクローズアップされ

ている（前頁の写真）。この男性はアウグスト・ランドメッサー。就職に有利だとナチスに入ったが、この写真が撮られる1年前にイルマ・エクラーと結婚する。エクラーはユダヤ人だった。この「敬礼拒否」で彼はナチスを除名になり、収容所に入れられた後、前線に送られて戦死している。ただ敬礼しなかっただけで…。果たしてこれは過去の話か？ 大阪の府立高校、卒業式の君が代斉唱。起立しない先生が次々と処分されている。ちょっとこの時代に似てきたかな？

忖度する裁判長

抵抗記念館の展示物に「人民法廷」の写真があった。「人民法廷」とはヒトラー時代、１９３４年から45年まで特別に設けられた法廷で、国家反逆罪で逮捕された反ナチスの活動家が次々と裁かれたところ。

写真中央、禿頭のローランド・フライスラー裁判長が死刑を宣告している（写真）。彼はナチスの顧問弁護士で、41年に「人民法廷」長官に就任する。彼の就任後、死刑判決が激増。被告はほとんど弁明をさせてもらえず、フライスラー裁判長の怒号が飛び交う中、約２６００件！もの死刑が宣告された。

45年2月に米軍が裁判所を空爆、「死の裁判官」は建物の下敷きとなって死亡、ベルリンが陥落したのはその３ヶ月後だ。狂気の時代は裁判官も狂気になる。

死刑を宣告するローランド・フライスラー裁判長

忖度しなかった神学者

次の部屋には神学者マルチン・ニーメラーさんの大きな写真が飾られていて、その下に有名な詩が刻まれている。「ナチスが最初共産主義者を攻撃したとき、私は声をあげなかった。私は共産主義者ではなかったから。社会民主主義者が牢獄に入れられたとき、私は声をあげなかった。私は社会民主主義者ではなかったから。彼らが労働組合員たちを攻撃したとき、私は声をあげなかった。私は労働組合員ではなかったから。そして、彼らが私を攻撃したとき、私のために声をあげる者は、誰一人残っていなかった」。ニーメラーさんはナチスによる教会管理に反対したので強制収容所に入れられた。その後なんとか生還できたので、この詩を残すことができた。ニーメラーさんの隣には、ナチスに忠誠を誓う神父さんたち（写真）。もうこうなると誰も反対できない。

2013年8月、日本の憲法改正について問われた麻生太郎副首相はニヤリと笑って「（改憲の手法を）ナチスの手口に学んだらどうかね」と言い放った。漢字は読めないが、「ワル知恵」は働いているのだ。

ナチスに忠誠を誓う神父さんたち

同じ臭いがするワシントンと大阪

2019年8月「表現の不自由展・その後」が一時中止された問題をめぐって、松井一郎大阪市長が「従軍慰安婦問題はデマですよ」という「明らかなデマ」を述べた。これは国際的に見ても恥ずべき発言で、私は瞬時に「ドイツでの体験」を思い出した。2017年8月14日、ベルリンのブランデンブルク門の門前広場に、各国の民族衣装に身を包んだ女性たちが現れた(写真)。8月14日は日本軍「慰安婦」国際メモリアルデーで、在独韓国・日本人女性たちで構成される「ベルリン女の会」が毎年このような宣伝を行い、これが国際ニュースとして配信されているのだ。ブランデンブルグ門前広場は、かつてベルリンの壁があった場所。東西冷戦を象徴する門前でのアピールは大変効果的で、多くの観光客が慰安婦に扮した女性たちにカメラを向けていた。

「従軍慰安婦に謝罪を」と呼びかける「ベルリン女の会」のデモ隊

プラカードには北朝鮮220名、台湾58名などの数字が並ぶ。これは名乗りを上げた人の数で、実際はもっと多かったに違いない。英語の横断幕には「戦時性暴力に抗議する。『従軍慰安婦』に謝罪と補償を」とある。そう、これは「反日」問題ではなく、日本政府に対して性奴隷にされた女性の人権回復と補償を求める国際的な抗議活動なのである。それにしても韓国、中国はもちろんタイ、マレーシア、オランダ、フィリピン…。日本が侵略したほとんどすべての国で慰安婦にされた女性たちがいる。「従軍慰安婦問題はデマ」という松井大阪市長、「メキシコ移民は犯罪者」と言い切るトランプ大統領。同じ臭いがするな。

「反省する国とイチャモンをつける国」

ベルリンの市街地を歩いていると「つまずきの石」に出会う。（写真）銅製のプレートが道路に埋め込まれているのだ。プレートに刻まれているのはここに住み、殺害されたユダヤ人の名前。通りを歩いていてこの石につまずいた人は「あぁ、この家の人がナチスに殺害されてしまったんだな」とホロコーストを思い出す。ドイツにとっては「負の歴史」であるが、その加害の歴史も含めて、風化させないようにプレートが埋め込まれているのだ。同時に、「社会が二度とつまずかないように」というメッセージも込められているのだろう。戦争犯罪を真摯に反省し「つまずきの石」を置くドイツ、従軍慰安婦を象徴する平和の少女像にイチャモンをつける日本。同じ敗戦国で、なんでこれほどの差が出たのかな？

ベルリンには「つまずきの石」が置いてある

戦争に翻弄され続ける「空港」

ベルリンの市内中心部には巨大な「公園」がある。公園内部は芝生が敷き詰められていて、大きな舗装道路が緑の芝生を貫いている（次頁の写真）。実はこの場所、ナチスが建設したテンペルホーフ空港の跡地。1945年、旧ソ連軍がベルリンを陥落させ首都は東西に分割される。この時の「功績」でベルリン周辺はすべて東ドイツに組み込まれたため、西ベルリンは陸の孤島になった。やがて米ソ冷戦が始まり、戦後賠償問題などで東西が対立する。そんな1948年、旧ソ連は西ベルリンにつながる道路や鉄道を封鎖。西ベルリンを「巨大な監獄」に変えてしまったのだ。市民を兵糧攻めにすれば、困窮した人々は旧ソ連に援助を求めるだろう。そうなれば「西ベルリン」が崩壊し、すべては「東ベルリン」に統合できる。スターリンの身勝手な作戦。閉じ込められた人々を放置すれば大量の餓死者が出る。援助物資を届けるには飛行機しかない。こうして西側の援助飛行が始まった。食料、医薬品、燃料など1日4500トンもの物資を運び続けた、その生命線がこの空港だった。いわば東西冷戦の象徴とも言えるテンペルホーフ空港だが、壁の崩壊とドイツ統一でその役割が急減、2008年に閉鎖され公園になった。公園にはかつて出入国を管理していた空港ビルや管制塔がある。2017年8月に訪問した時は、空港ビルに多数のシリア難民が居住していた。かつての「空港」が「公園」になり、そして今「難民キャンプ」に。この場所は今も戦争に翻弄されている。

この空港が西ベルリンの生命線だった

大河に国境なし

ドイツのデュッセルドルフはライン川にデュッセル川が合流する地点、ライン河畔に栄えた町である。このデュッセル川を西へ20キロほどさかのぼると、ネアンデル渓谷となる。１８５６年、この渓谷に面したフェルトホッファー洞穴から旧人類の化石が発見され、ネアンデルタール人と名付けられた。中学校の社会科教科書に載っていたネアンデルタール人や北京原人。「現代人とは違う人類が存在した」というのは当時の私に衝撃的で、人類誕生のロマンを感じたものだったが、ここが旧人類の故郷だったとは。

　そんなデュッセルドルフを気ままに散歩していたら、ラインの大河に突き当たった。川のある風景は愛を語るのに適しているのか、ベンチでカップルがいちゃいちゃしている。ちょっとうらやましく、ちょっとむかつく。

ライン川にフランスの貨物船

　このライン川、スイスのアルプス山脈からドイツを北上してオランダのロッテルダムで北海に注いでいる。ボーッと大河をながめていたら、大型貨物船がやって来た（写真）。マストにはフランス国旗。ライン川は国際河川なのだ。この川はいろんな時代を見てきた。ネアンデルタール人が生きていた時代、神聖ローマ帝国、ナチス・ドイツ…。のんびりと大河を下っていくフランス船をながめていると、なぜか嬉しくなってきた。あー、平和やなー。

自転車ＯＫで広がる行動範囲

デュッセルドルフ駅で空港までの電車を待っていたら、「自転車ＯＫ」の車両が来た。（次頁の写真）車両に乗り込んで出発を待っていたら、ヒゲもじゃのドイツ親父がフーフー言いながら自転車で乗り込んできた。ギリギリセーフで発車。親父はニッと笑って指を立てた。「通勤にはこいつが欠かせないよ」。少々古くなったサイクリング車を大事そうにデッキに立てかけた。3つ目の駅で親父は自転車で颯爽と消えていった。ええなー、チャリンコ通勤。

ドイツやフランスでは「自転車OK」の車両が走っている

私は阪急沿線に住んでいるが、例えば大阪市役所や裁判所は大阪梅田駅から結構遠い。阪急高槻駅からチャリンコに乗ったまま、梅田で降りて御堂筋をさっそうと淀屋橋の中之島公会堂へ、なんてことが可能ならば、車に乗る人も少なくなり、渋滞も緩和されるのではないか。

オーストリアのウィーンに行ったとき、歴史ある石畳の町並みと路面電車がマッチしているので、行くあてもないのに思わず乗りこんでしまったことがある。路面電車はウィーンの旧市街を走っていたがやがて郊外に出て、なんと普通の電車軌道を走っていく。相互乗り入れしているのだ。天王寺まで路面電車の阪堺線を使って、そこから電車が地下に潜り、大阪市営地下鉄に乗り入れて淀屋橋まで行けるようになれば、これまた便利で車を使う人が減るのではないか。ヨーロッパに比べると、日本はまだまだ車社会。ちょっとドイツやオーストリアがうらやましくなるのだった。

第3章 東欧の片隅で

私が初めて紛争地に足を踏み入れたのがボスニア内戦だった。96年6月に激戦地サラエボへ。それまでは「戦争をしている国に入れるのは朝日新聞やNHKの記者さんだけ」と思い込んでいた。この頃縁あって、東京新聞の記者さんに「国連記者証をゲットすれば入れますよ」と教えていただいた。例えば「週刊関西実話・紛争地取材ネットワーク」など、ありそうな名前（関西実話は実在した）の文書を英文で作成し、「反戦平和の声を上げるためには現地に入るしかない」と国連のメディア担当者に訴えればいい。セルビアのベオグラードで申請したら、記者証が出た。日本では「大組織」が重要だと思わされがちだが、世界で重視されるのは「記者個人」。そう、弱小であってもミニコミであっても「現場を踏みたい」「理不尽な戦争犯罪を暴きたい」という熱意が決め手だ。

96年のボスニア、99年のコソボに共通するのは「セルビア悪玉論」だった。西側メディアが「セルビアの犯罪」ばかりを報道したので、「NA

キエフの地下鉄は恐ろしい

ＴＯ空爆もやむなし」「人道的な軍事介入」の世論が醸成された。しかし虐殺していたのはクロアチアもアルバニア系住民も同じ。ユーゴ内戦は、今では「メディアが作った戦争」と総括されている。加えて「コンピューターの２千年問題」もあった。99年のコソボで大量の武器が消化されたのは「今のうちに使ってしまえ」ということだ、と解説する専門家がいた。真偽のほどは分からないが、欧米の軍需産業が大儲けしたことは間違いない。

２０１４年のウクライナ騒乱に乗じて、ロシアのプーチンがクリミア半島を奪い取ってしまった。戦争、謀略、歴史の捏造、何でもありのプーチン。キツネのようなずる賢さを持った男と「サメの脳みそ」しかないどこかの首相（苦笑）が北方領土で交渉する。これでは絶対に返ってこない。トルコのエルドアンもしたたかである。国内の民主派を弾圧しながら、シリア内戦で敵対してきたロシアと手打ち。シリア難民を人質に取ったかのような外交で、発言力を増している。一筋縄ではいかない東欧地域、戦争と原発事故に翻弄されてきた人々の悲哀。最後まで読んでね。

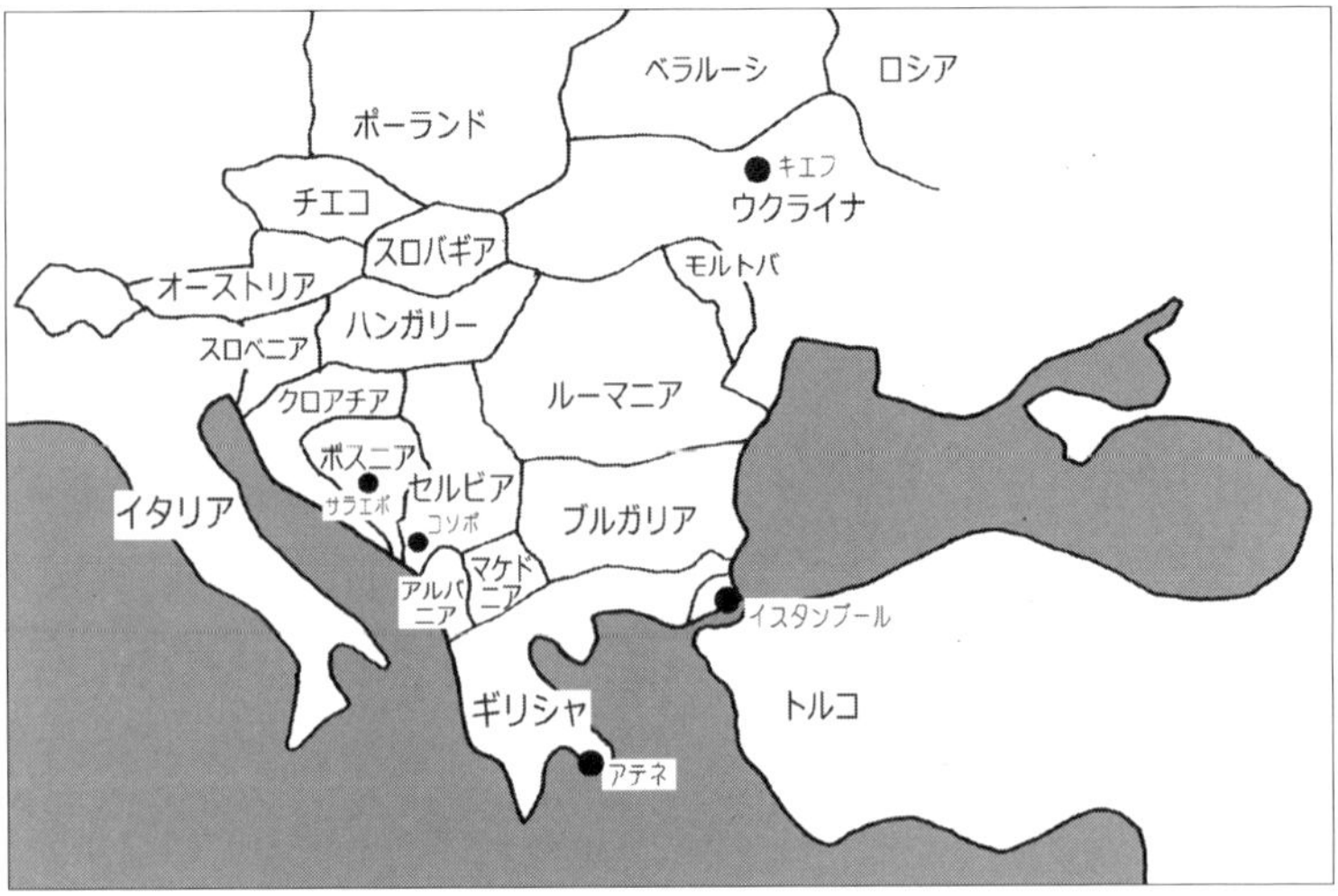

サラエボにて

1996年6月、セルビアの首都ベオグラードに入った。ここで国連記者証をゲットし、紛争地ボスニアに向かう。米英仏独などのPKO兵士が監視する中、数ある検問を通過、丸2日かけてボスニアの首都サラエボに入った。ボスニアは人口の約4割がムスリムで3割がセルビア、2割がクロアチアというモザイク国家。旧ユーゴからの独立に反対するセルビア人勢力と新国家建設を求めるムスリム、クロアチア人勢力による凄惨な内戦がようやく終わったところだった。サラエボはかつて冬季オリンピックが開催されたところ。町の中心にミリャッカ川が流れていて両サイドは急峻な山脈。山の緑に赤屋根の民家、絵葉書のような美しい町だった。

川沿いのメインストリートは、かつて「チトー通り」と呼ばれていた。ユーゴ建国の父チトー大統領を讃えた通りは、内戦が始まると「スナイパー通り」になった。サラエボはすり鉢状の町で、東の山にセルビア軍、西にムスリム部隊が立てこもり、お互いの住民を狙い撃ちにした。「スナイパー通り」には土のうがうずたかく積み上げられて、通行人が命がけで走る。そんな状況が3年も続いた。通りに面したビルは穴だらけ、市場にはロケット弾が撃ち込まれた。

そんな

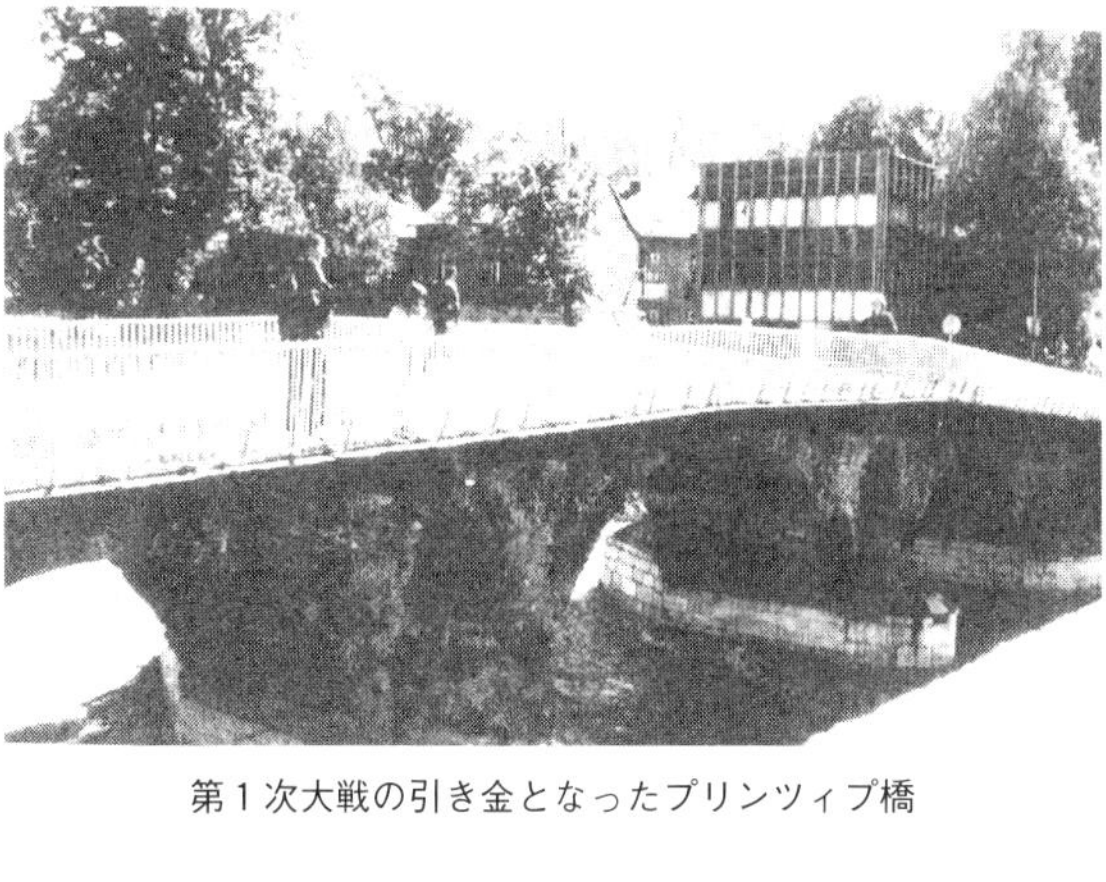

第1次大戦の引き金となったプリンツィップ橋

ミリャッカ川には何本か橋が架かっている。その中の1つがプリンツィプ橋（前頁の写真）だ。1914年6月28日、オーストリアの皇太子がこの橋を渡っている途中で射殺され、世界は第1次大戦へと突入していく。射殺したのは、セルビアの青年プリンツィプ。橋のたもと、プリンツィプが銃の引き金を引いた場所に彼の銅像が立っていて、その背後には「プリンツィプ博物館」があったらしい。「らしい」と書いたのは、すでに銅像と博物館は取り壊され、ガレキになっていたからだ。旧ユーゴ時代、彼は「セルビアをオーストリア＝ハンガリー帝国から解放した英雄」だった。しかしクロアチア＆ムスリム人にすれば「憎きセルビア人」の一人だ。内戦後、サラエボを支配したのがムスリム勢だったので、銅像が取り壊されたのだった。

存在しない「理想の国家」

内戦の爪痕を一通り取材してベオグラードに戻る。「オハヨーゴザイマス」。バス乗り場でツル親父が声をかけてくる。サムライ時代の日本が好きなのだそうだ。路線バスが到着。なんとバスのフロントガラスが粉々に砕け散っていた（写真）。「セルビア、セル

フロントガラスが粉々に砕けたサラエボの路線バス

ビア」。さっきのツル親父が石を投げる真似をする。サラエボからベオグラードまでの道中、セルビア支配地域を通らねばならない。このバスがサラエボナンバーなので「セルビア支配地域」を通過中に投石されたのだ。

かつてのユーゴスラビアは「自主管理型社会主義国」だった。極端な格差社会をまねく資本主義にも問題があるが、旧ソ連のスターリンに代表される（今の中国も）「独裁型社会主義」はもっと嫌だ。労働者が自主的に企業や市場を管理する「自主管理型」は結構ええやないの、と思っていた。そんなユーゴがもろくも崩れた。米ソどちらにもつかない非同盟国ユーゴのチトー、エジプトのナセルなどは一部識者から「理想のリーダー」とされていたが、国内の少数派から見れば独裁者だった。残念ながら「理想の国家」は存在しない。私たちは「よりマシな社会」を求めて試行錯誤するしかないようだ。

ギリシャでビデオを学ぶ

ボスニア訪問後からちょうど3年後の99年6月、今度は旧ユーゴのコソボ地区に入った。コソボを実行支配していた少数のセルビア人と独立を求める多数のアルバニア系住民が、やはり血で血を洗う戦闘を繰り広げていた。悲惨な内戦を取材したのち、コソボからマケドニア（現在の北マケドニア）を通過してギリシャのアテネへ。当時のアテネ経済は好調、街は観光客でいっぱいだった。後で知ったのだが、ギリシャは「夜の生活、お盛んな国ランキング」で堂々の1位に輝いている。アテネ下町のあちこちに艶っぽい看板、映画館は「その手の映画」がかかっていて、日本のキオスクのような売店で公然と「その種のビデオ」が販売されていた。

ひげ剃りやタバコなど日用品の隣に、お色気たっぷりのVHSビデオが並べられているのだ。「すごいなー」。感心しながら眺めていると、「お兄さん、いいのあるよ」。チョビひげオヤジが棚からいろいろ出してきて、「これはあぁで、こうで」と解説。「本当?」「まかしておけ、これが最高!」。15ドルで購入し、帰国後わくわくしながらビデオデッキで再生。ザーッ。画面にむなしく雨が降る。「何でや、何で映らへんのや!」。

電気店に問い合わせ。「あー、それね。ヨーロッパと日本ではビデオ信号が違うんですよ。どうしても見たいのなら、当店で信号変換します。持ってきてください」「いや、け、結構です」。慌てて電話を切った。この「痛い体験」で、私はVHSビデオの信号について学んだ。

問題の「表紙だけ過激な、映らないビデオ」は、しばらく我が家の押し入れに眠っていたが、引っ越しゴミになりどこかへ消えてしまった。90年代の痛い経験の1つである。

キエフの地下鉄は恐ろしい

2014年3月、ウクライナに飛んだ。前月に発生したウクライナ騒乱で、ヤヌコビッチ大統領が失脚し、ロシアへ亡命。この騒乱に乗じたロシアのプーチンがウクライナ東部に戦争を仕掛け、クリミア半島を奪い取

犠牲になった人々に手向けられた花。
その後ろに、警官の突入を防いだ黒タイヤ

ってしまった。

騒乱の舞台となったのは首都キエフの独立広場。警官隊の突入を阻止した黒タイヤと犠牲になった人々を追悼する花やロウソク。（前頁の写真）デモ隊と警察、双方が周辺ビルに火をつけたので、広場には焦げた臭いが充満し、ススが空を舞っていた。真っ黒になった広場1階とは対照的に、独立広場の地下1階はおしゃれなファッションモールがそのまま営業していて、地下2階には旧ソ連時代に作られた地下鉄の駅があった。

切符売り場でプラスチック製のコインを買う。自動改札機があって、コインを通すとゲートが開く仕組み。駅員さんのほとんどが女性。旧ソ連時代から女性の社会参加が進んでいたからだ。駅構内にエスカレーターがあって、ひたすら下っていく。大阪地下鉄の長堀鶴見緑地線も結構深いが、比べ物にならない。エスカレーターはひたすら真っすぐ地底まで（下の写真）。この地下鉄は

シェルターの機能を有していたキエフの地下鉄

1960年に開通していて、当時は米ソ冷戦の真最中。そう、この地下鉄は米国の核攻撃に備えたシェルターの機能を有していたのだ。

ようやくホームに到着。8両編成のおんぼろ列車がやって来る。車内の風景は日本と同じ。つり革につかまりつつ、ふとドアをみると英語で「も

たれるな！」。

日本では「指つめ注意」と書かれているところに「もたれるな！」。おんぼろ列車のドアは時に倒れてしまうのだ。危ない、危ない。乗客も心なしか、窓際ではなく車内中央に立っている。

コントラクトバ・プローシチャ駅で下車。ここはキエフの下町。町の中心にドニエプル川が流れ、丘の上には大聖堂、そして大通りには路面電車が行き交っている。

チェルノブイリ博物館へ

あの大聖堂が東寺の五重の塔で、この川が鴨川だとしたら…。市電が走る昔の京都に似てなくもない。実は歴史あるキエフと京都は姉妹都市になっていて、キエフには「キョートストリート」まで存在するのだ。そんなキエフの下町にチェルノブイリ博物館があった。

博物館の手前には事故当日、１９８６年４月26日に出動した消防車、パトカーが当時のままに陳列されている。

博物館の中に入る。受付の横に日本語で大きく「ふくしまとともに」（写真）。

チェルノブイリ博物館の受付「ふくしまとともに」

原発事故を伝える日本の新聞と誰もいなくなった双葉町で牛が国道をさまよう写真が壁に貼られている。天井にはキリル文字の看板。これは「居住不可能地域」に指定された村の名前。事故後27年も経過して、まだこんなに多くの村が「廃村」

のまま。

展示場へ。深夜1時23分で止まった時計。時計の隣に防護服を来た消防士の人形。チェルノブイリ4号機の爆発直後、夜勤の運転員たち消防士たちは、必死で消火活動を行った。彼らは「リクビダートル」（清掃人）と呼ばれ、英雄として表彰された。ここにはリクビダートル30万人中、4千人の写真が飾られている。白黒の顔写真の一部に放射能のマーク。事故直後に亡くなった人々だ。

犯罪者にされた英雄たち

運転員アナトリーさん（写真）は、500レム（5シーベルト）の放射能を浴びながら、徹夜で隣接する3号炉を停止させた。当時のソ連政府は事故原因を運転員の捜査ミスと決めつけ、放射線病に罹患した彼を逮捕し、投獄した。レフチェンコさんは汚染された水に膝までつかりながら1千レムを浴び、2週間後に死亡した。非番だったアルミーナさんは事故の報を聞き、原子炉に駆けつけた。95人いた水質検査員中、原発に戻ったのは5人だけだった。プリピャチ市（原発作業員のための街）に住んでいた子どもは、クリミア半島に避難させた。子ども宛ての手紙が残っている。「お母さんは仕事がとても忙しいの。あなたのところに行けなくてゴメンね」。やがて彼女の健康が悪化して90年に退職。現在は障害者となっている。その後の調査で、事故原因は原子炉そのものの設計ミスだったことが判明。運転員の名誉は回復され、「レー

汚染で死亡した運転員のアナトリーさん

ニン賞」などの勲章を授与された。今さら勲章もらってもなー。

　翻って我が日本。福島でも線量を溜め込みながら必死の作業をしている人々がいる。去るも地獄、残るも地獄。事故が発生すると現場も人も、もう元には戻らない。

情報が隠され、被害が広がる

　次の部屋には大きなトロッコが飾られている。旧ソ連政府は決死の作業隊員を送り込み、爆発した４号機の地下にトンネルを掘り、鉄板を敷いた。解け落ちた炉心が地下水に触れると、大爆発を起こしてしまう。何としても炉心の落下を防がねばならない。一刻の猶予もなかった。旧ソ連の炭鉱労働者、囚人たちが集められた。白黒の記録映像が残っている。スコップを担いだ労働者たちがトンネル掘削現場をめざしてトロッコに乗り込んでいく。暑い夏の重労働。「マスクをするように」という注意はほとんど守られず、労働者は裸同然での作業を余儀なくされた。

　トロッコの横には当時の新聞が飾られている。事故は小さなベタ記事、テレビは報道しなかった。ソ連紙との比較で同日のニューヨークタイムズが並んでいる。こちらは１面トップ、原発の図面や放射能の拡散予想図が大きく掲載されている。事故から６日後、約１３０キロ離れたキエフではメーデー

事故を知らされずにメーデーに参加

祭が開催された。事故のことを知らない市民はパレードに繰り出し、大量に被爆してしまった。（右下の写真）

福島原発事故直後、日本政府はSPEEDIの放射能拡散予測データを公開しなかった。双葉町や浪江町の人々の多くは北西の飯館村方面へ、つまり風下に逃げた。何のためのSPEEDIなのか！　国にとって都合の悪いことは、まずは隠されてしまう。旧ソ連と今の日本はよく似ている。

30年でやっと半分

原発から3キロ離れた従業員の街、プリピャチ市では何が起きていたのか？　当時のプリピャチ市民の記録映像が残っている。団地の中を旧ソ連の戦車、パトカーが走っている。「3日分の食料を1時間以内に用意して、荷物をまとめてバスに乗れ」。やがて1200台のバスが来た。住民たちは着の身着のままバスに乗って逃げていく。みんな「ほんの少しの外出」のつもりだった。現実はこの街との永久の別れになった。

映像はバスの中からの風景になる。団地から慌てて逃げ出す人々の姿が映し出される。そのフィルムに白い点がプツプツ当たる。放射能だ。目には見えない放射能だが、フィルムには感光する。

博物館の一番奥まった部屋、8角形のボードに子どもたちの

プリピャチ市の子どもたち。「染色体異常は通常の7倍」

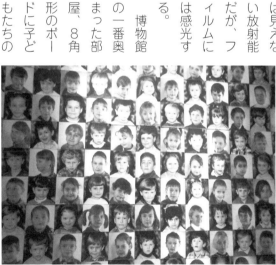

白黒写真（前頁の写真）。８角形のボードは、原子炉の形状を表している。写っているのはプリピャチ市民の子どもだ。今は全て30歳を超えている。博物館の資料には「その後の調査の結果、子どもたちの染色体異常は通常の7倍に上っている」とあった。

　博物館を出てキエフの下町を歩く。家族連れ、談笑する恋人たち学生たちが通り過ぎていく。記憶は薄れていくが、セシウムの半減期は30年。まだようやく半分になったところだ。

穀倉地帯が飢餓になった

　ウクライナの通貨フリブナ（写真）は「銀の塊」という意味。ロシア通貨ルーブルは「それを切り取ったもの」。つまりキエフに「銀の塊」があって、モスクワではそれを「切り取ったもの」が流通していたことになる。ウクライナとは「辺境」という意味だが、これは歴史的にいえばオスマントルコやハンガリー帝国から見て「辺境」なのであって、当時のモスクワは「辺境」ですらなく「さいはて」だった。

通貨フリブナは「銀の魂」という意味

　ドニエプル川に恵まれた肥沃な土地。ウクライナは「ヨーロッパのパンかご」と呼ばれた。映画「ひまわり」の広大なひまわり畑はキエフで撮影されたもの。あー、ソフィアローレン！　キレイやったなー。「ヨーロッパのパンかご」はその後ロシア革命に翻弄される。旧ソ連に併合され、スターリンが容赦なく農産物を取り上げていく。モスクワを豊かにするためキエフが犠牲になった。何と穀倉地帯にもかかわらず数百万人もの農民が餓死したのだ。東部には豊富な鉄鉱石と石炭があったので、大量のロシア人労働者が移住させられた。ウクライナ騒乱で東部がロシアへの帰属を求めた背景にはスターリンの移住政策があった。シベリアに抑留された日本人もいれば、中央アジアに連れてこられた韓国人も多数。スターリンはヒトラーと並ぶ独裁者である。

たった一人の動物園

キエフから北へ、ドニエプル川を30キロほどさかのぼると「ヤヌコビッチハウス」が現れる。失脚したヤヌコビッチは、ロシアのプーチンと癒着して天然ガス利権を独占していた。巨費を投じて作った「ヤヌコビッチハウス」。その玄関前に観光バスなど長蛇の車列。今やここは観光名所なのだ。門前に数台の自転車。屋敷があまりに広大なのでレンタサイクルはいかがですか。かつて「クイズ世界はSHOWbyショーバイ」という番組があったが、いろんなことが商売になるものだ。

20フリブナ（約200円）支払って入場。まずは体育館のような建物が現れる。これはヤヌコビッチ氏専用のスポーツジムだった。ストレスがたまったら、ここでエクササイズしていたのだ。広大なお屋敷の中にゴルフコース、ヘリポート、サウナスパ、レストラン

この屋敷は愛人用だった

…、日本の「グリーンピア何とか」よりはるかに豪華。錦鯉が泳ぐ池を横目にしばらく歩くと木造の巨大な屋敷（前頁の写真）。ここがメイン住居。ちなみに正妻はウクライナ東部にいて、この屋敷は愛人と住んでいたそうだ。屋敷の裏に回れば、ギリシャ時代の彫刻と遺跡。クリミア半島から実際の遺跡を運んできたそうだ。やりたい放題やな。

　極めつけは動物園だった。アラパカ、カモシカ、クジャクに牛…。彼1人のために作られた動物園。アホや、こいつは！　大きな柵の中でダチョウが走っている（写真）。こちらに近づいてくるのでフェンス越しに雑草を与えると、喜んで食べた。柵には「動物が飢えはじめています。募金を」という箱が置いてある。ヤヌコビッチ氏がこの屋敷からヘリでロシアに逃亡してから1ヶ月。飼育員も逃げたので、このダチョウは飢えているのであった。動物園の横には、やはり植物園があった。温室の中できれいな花が咲き誇っている。誰も世話する人がいないので、やがてこの花も枯れていくのだろうか。

「ヤヌコビッチ動物園」のダチョウ

　独裁者というのは同じようなことをする。イラク各地にはフセインの宮殿がそびえ立っていたし、フィリピンのイメルダ夫人は約3000足の靴と6000着のドレスを持っていたらしい。

「み－んな俺たちの税金だぜ。あのダチョウのエサもね」。通訳のアレクセイが軽蔑の笑みを浮かべる。真面目に納税しているウクライナ人は、もう笑うしかないな。

閑古鳥が鳴くイスタンブール

トルコのイスタンブールは東ローマ帝国の首都として栄えた大都市で、かつてはコンスタンティノープルと呼ばれていた。東西文明の十字路として栄えた大都市は、その繁栄のゆえに取り合いになる。15世紀にオスマン帝国がこの街を奪い取り、街の名前もイスタンブールになった。旧市街にアヤソフィアがそびえているが、この大聖堂はビザンツ建築の最高傑作といわれ、元々はキリスト教の教会だった。ここを占領したメフメット2世によって教会はモスクに改修された。これの逆パターンがスペインのアルハンブラ宮殿。元々はアラブ人が建てたモスクをレコンキスタに勝利したキリスト教徒が教会に変えた。イスタンブールに来ると「ここがキリスト教圏でスペインがイスラム教圏だった」という意外な事実を知ることができる。

そんな街が激変した。相次ぐテロで観光客が激減したのだ。クーデター未遂後は、観光客に代わってトルコ軍の戦車がアヤソファア前に居座っている。激変した観光地にも人はいる。地元トルコ人たちが「空いている今が見ごろ」とやってくる。あれっ、芝生の上にスマホを持った人々が集まっているぞ。もしかしてこれは…。「ポキモンゴー」。陽気なトルコ兄さんがスマホをかざしてVサイ

ポケモンはイスタンブールにも出現するのだ

ン、そしてすぐにスマホ画面にのめり込む（前頁の写真）。ポケモンと発音できないのがご愛嬌だが、アヤソフィア前にも「ポキモン」が出てくるのだ。戦車の横でポケモンゴー。トルコは平和だ、基本的には。

すごいぞ！ アラブ文明

中世まで文明の中心はアラブ圏だったので、言葉にもその影響が色濃く残っている。例えばアルコール、アルカリ、アルゴリズム。今はおおっぴらに酒が飲めないイスラム圏だが、アルコールの故郷は現在のイラク。ビールもワインもメソポタミア文明で製造されたのだ。因みにコーヒー、アラビア語のカフアがカフェ、カフィー、コーヒーになった。

アラブの文化がヨーロッパに伝わっていく、その通過点がイスタンブールだった。イスタンブール下町の画廊に、中世の手術の様子を描いた数々の作品が展示されていた（写真）。ペンチで無理矢理歯を抜く歯医者、病人のお腹にハサミを入れ、腸を引き出す医者たち。人体の動脈と静脈を赤青の絵の具で描きこんだものや、妊婦のお腹を開いて胎児の様子を観察しているものもある。結構グロテスクだが、その結果が西洋医学として結実した。他にも天文学、化学、航海術。現代社会の基礎はアラブにあり。

中世の手術の様子を描いた作品

文明を支えてきた地下水路

ナイル川、インダス川、チグリス川…。文明発祥の地は全て川のほとりである。水がないと人は生きてはいけない。ましてや巨大人口が都市に集中し始めると、いかにして飲料水を確保するのかが都市計画の基本となる。トルコ・イスタンブールもその例外ではない。街の中心にそびえるアヤソフィアの地下には巨大な宮殿があって、この宮殿自体が大きな貯水池になっている。西暦520年、ユスティニアヌス帝によって建設された地下宮殿は総面積9800平方メートルの巨大なもので、高さ9メートルの大理石でできた300本以上の柱で支えられている。地下宮殿の貯水池には、今でも大きな鯉が泳いでいる。地上のイスタンブール市民は、その昔、家の床から釣り糸を垂らして池の鯉を釣っていたのだそうだ。その水はどこから？宮殿から北へ19キロにあるベオグラードの森から石の水路で、途中のヴァレンスと呼ばれる巨大な水道橋を通してここまで引っ張ってきたのだ。

1千年以上もの長きにわたって東ローマ帝国、オスマン帝国の人々に飲料水を供給してきたこの地下宮殿、今では飲み水としては活用されずこの宮殿自体が観光名所となっている。

テロが相次ぐ昨今、外国人観光客が激減したので待ち

地下宮殿で人気のカスチューム撮影

時間なしで入場。家族連れのトルコ人が目立つ。宮殿内部には土産物店や喫茶店などがあり、人気はオスマン帝国時代の民族衣装を着用した写真撮影だった（前頁の写真）。イスタンブールにやって来たら、この地下宮殿とヴァレンス水道橋は必見だ。

せっかく日本語覚えたのに

イスタンブールにはグランバザールという巨大な屋根付き市場がある。15世紀に建設された市場内には4千もの店舗がひしめき合っていて、ブルーモスクやトプカプ宮殿を訪れた観光客がこの市場でお土産を買うのが「一般的コース」である。このグランバザールが「観光客用」とすれば、「エジプト市場」は「地元住民&観光客用」のバザールである。トルコにあるのになぜエジプト？ それは16世紀にオスマン帝国がカイロを鎮圧。エジプトからの輸入品が増えて、「エジプト市場」が作られたのだ。

市場に入るといきなり強烈なスパイスの匂い。シルクロードを経由した香辛料は、昔も今も生活必需品。狭い通路の両側にはニンニクや唐辛子、ハーブなどを売る店と威勢のいい掛け声。「お兄さん、カラスミ買ってよ」。トルコ青年が日本語で声をかけて来る。

テロ事件後、日本の観光客が激減。久しぶりにやって来た「お金持ちの日本人」を逃すま

エド・マッチャンの店があった

いと必死なのだ。看板にはカタカナで「エド・マッチャンの店」（右下の写真）。「なんでエド・マッチャンなの？」「私の名前はエルドアンです。略してエドね、江戸時代のエド」「マッチャンは？」「ダウンタウンのマッチャンに似ているから」。彼はかつて神戸に住んでいて、テレビの中の松本人志さんに似ていると言われていたのだ。「面白いね。それで最近日本人はやってくるの？」「来ないよ」。残念だね、せっかく日本語覚えたのにね。励ましておいたが、カラスミは買わなかった。

「洞窟教会」で戦争を考える

トルコ南東部の町ハタイ県アンタクヤはシリアとの国境の町で、イスタンブールから飛行機でわずか1時間半。この町を拠点に何度かシリアへ潜入した。第1次大戦後、この地域はアレッポ県としてシリア側にあったので、もともとアラビア語を話す人が多かった。大戦後の住民投票でトルコ側に帰属した。だから、亡命シリア人たちはこの住民投票を認めず、いまだに「アンタクヤはシリアだよ」と主張する。

この町は中国から伸びるシルクロードの終点としても知られている。因みにハタイはヒッタイトが語源。あぁヒッタイト帝国！　ここは人類が初めて鉄を作ったところなの

いつでも逃げられるように作られた洞窟教会

だ。

そんなアンタクヤの郊外、小高い丘の中腹に「聖ペテロの洞窟教会」がある。洞窟内の聖堂にはキリストではなく、ペテロと思しき象が掘られている（前頁の写真）。

この聖堂の裏手には秘密の通路があり、それはアリの巣のように崖の上の洞窟につながっている。「異教徒」が攻撃してきたとき、原始キリスト教徒たちはこの通路を伝って、数ある洞窟に避難した。有名なカッパドキアも同じ理由でキリスト教徒が洞窟に住んでいた。

しかしこんなことは中世まで。今は信教の自由が保障され、人類は平和共存できるはず。そんな現代にIS（イスラム国）が現れ、ヤズディー教徒やキリスト教徒を「異教徒だ」として殺害した。聖ペテロの洞窟教会は「歴史」であるべきだ。「今の戦争」として「異教徒の殺戮」を復活させてはならない。

第4章 アフリカの片隅で

アフリカは広い。ガイドブックなどでは東西、つまりケニアやタンザニアなどを「東アフリカ編」として、セネガルやガーナなどは「西アフリカ編」で紹介される場合が多い。個人的には、アフリカを東西ではなく南北、つまりサハラ砂漠以北のアラブ・アフリカとサハラ以南のブラック・アフリカに分類した方が実態にあっていると感じる。確かに英国に占領された東とフランスによって植民地にされた西では言葉も文化もそれなりに違う。

しかし決定的に違うのは、サハラ以北はアラブ系のイスラム教徒が住む乾燥地帯で、南はキリスト教徒の黒人が住む熱帯雨林地帯だということだ。この章で紹介するスーダンはその縮図のような国で、北のアラブ人が南の黒人を支配してきた。簡単に言えば「支配の3層構造」である。頂上に英国、次にアラブ系、そして最後にブラック系という構図。

南アフリカも似た構造で、①英国系白人②オランダ系白人（アフリカーンスと呼ばれる）③先住民である黒人、の3層構

南スーダン、内戦が終わりゾウも帰ってきた

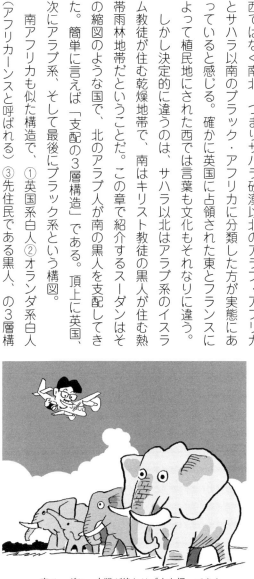

造。このような差別の構造が基本にあるのだが、21世紀になってグローバリズムの波が押し寄せてきた。それは中国の台頭。ケニアの高速道路、エチオピアの空港、南スーダンの油田…。アフリカ大陸は中国の進出抜きには語れなくなっている。アフリカに眠る資源と中国技術との交換。巨額の利潤を得る中国系企業と独裁化された現地政府に流れるマネー。そんな中で黒人たちの間にも「勝ち組」と「負け組」がはっきりと分かれ、極端な格差が広がっている。そんなアフリカに気候危機が忍び寄る。ケニアでは毎年、洪水と大干ばつが交互にやってきて貧困層を直撃している。20年2月、例年なら乾燥するエチオピアやソマリアにまとまった雨が降り、草木が繁殖。その結果イナゴが大量発生して農作物が壊滅した。「貧しき人々」は今後どうなってしまうのか？　この章に登場する人々が、したたかに生き残っていることを願う。

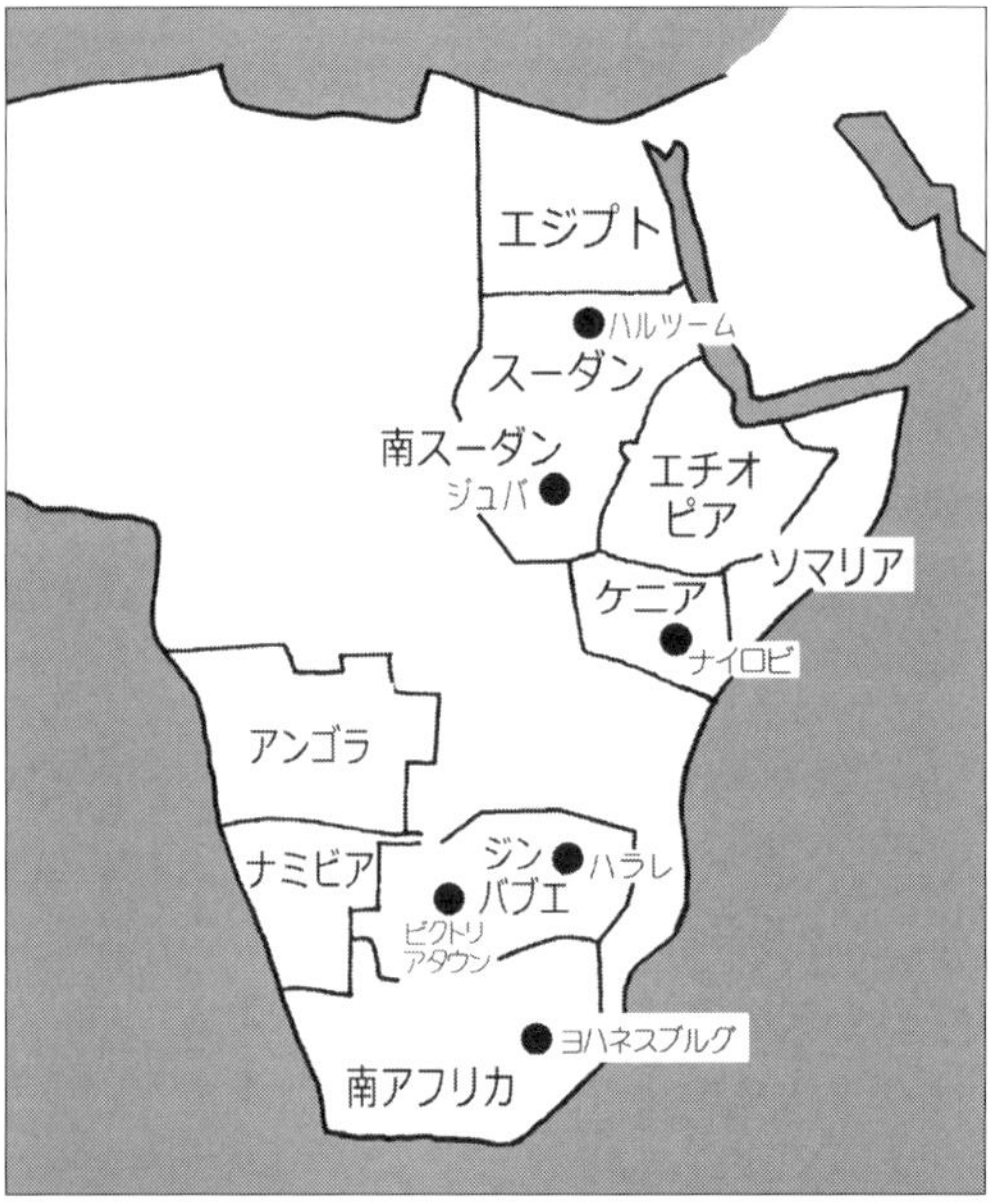

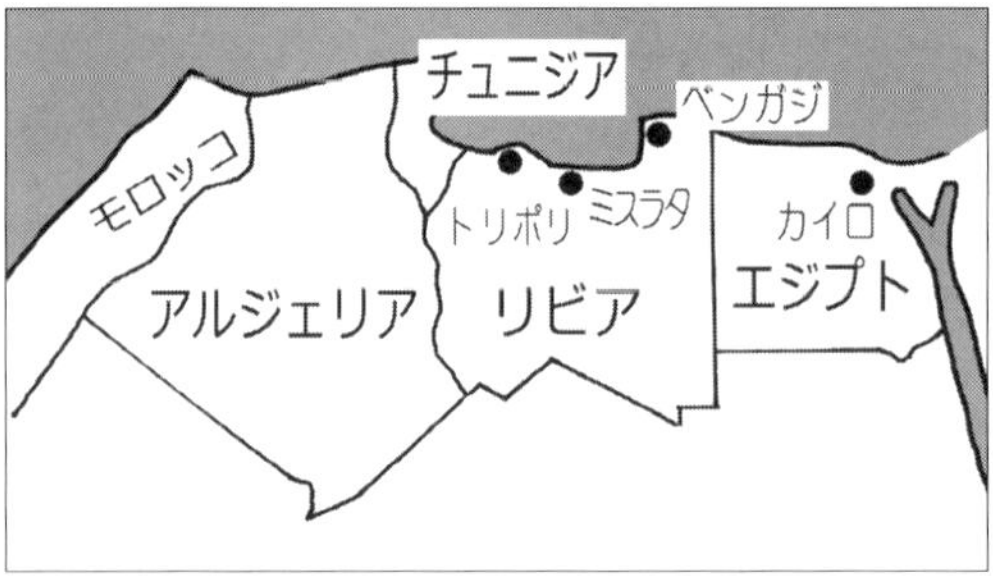

ナイル川が合流するところ

２００８年６月、スーダンの首都ハルツームを訪問した。この時のスーダンはまだ南北に分かれておらず、アフリカで一番大きな国だった。ハルツームの街を歩いていると、通行人たちが「ニーハオ」と声をかけてくる。私を中国人と信じ込んでいるのだ。それもそのはず、ハルツームの鉄道や幹線道路、５つ星ホテルにナイル川の橋など、ほとんどすべてがメイドバイチャイナ。中国系企業の進出が著しく、東洋人は全て中国人だと思っているのだ。気温40度越えの猛暑の中、まずは青ナイルと白ナイルの合流点へ。エチオピア高原から流れ出る青ナイルとウガンダから北上する白ナイルがこのハルツームで合流し、ナイル川になりエジプト・カイロへ。これは行かねばならぬ。果たして青ナイルは本当に青いのか、青と白が合流したら何色になるのか？　わくわくしながら合流点のボート乗り場へ。あちゃー、両方とも「黒ナイル」やないか。アフリカは今、人口爆発を起こしていて、両ナイルは生活排水が流れ込む「泥の河」になっていたのだった。「茶色い青ナイル」の沿岸に漁師の一団が（写真）。水は濁っているが魚は棲んでいるようだ。食べる気はしなかったけど。

「黒ナイル」でも魚は獲れる

あのビンラディンが住んでいた

ビンラディンはかつてスーダンにいた。ハルツームは「あのオサマ・ビンラディンをかくまっていた街」でもある。9・11事件の首謀者とされるビンラディンはずっとアフガニスタンにいたわけではない。1990年代の半ばまでスーダンに住んでいて、ハルツームには「ビンラディンハウス」があった。

98年8月、ビンラディン率いるアルカイダがケニア、タンザニアのアメリカ大使館に自爆攻撃を仕掛け、300名以上が犠牲になった。クリントン大統領（当時）はすぐさま報復のミサイルをハルツームに撃ち込んだ。当時、クリントンはホワイトハウス実習生のモニカ・ルインスキー氏と不倫関係にあった。その関係をもみ消そうと議会でウソの証言をしたため、下院から弾劾裁判の訴追を受けていた。モニカさんが裁判で証言するその日に、クリントンはミサイルを撃ち込んだ。スキャンダルもみ消しのために人を殺していいのか、世間は大騒ぎしたものだった。

ではそのミサイル着弾地点に行ってみよう。98年8月20日、紅海から発射されたトマホークミサイルがハルツーム北部、アッシーハ薬品工場に命中。工場は10年経ってもそのまま放置されていて、門番

スーダンの破壊された工場

のおじさんにチップを渡したら、こっそり中に入れてくれた。ミサイルの威力は凄まじく、工場は粉々に砕かれていた（写真）。アメリカがミサイルを撃った理由は、「ここで化学兵器、つまり大量破壊兵器を作っているかもしれない」。実際はこの工場はテロとは何の関係もなく、マラリアの薬などを作っていたが、この攻撃で薬の製造がストップ。スーダンの子どもたちは今でもバタバタとマラリアで死んでいく。薬さえあれば助かる命が、今も消えていくのだ、不倫もみ消しのために。

時代は下って2020年、トランプ大統領も弾劾裁判にかかっていた。新年早々、トランプもやらかした。イランのソレイマニ司令官を殺害したのは自分のスキャンダルから目をそらせるためだったと言われている。この2人、結構似ているな。

中東・酒飲み事情

スーダンは最もイスラム色の強い国の1つ。暑い夏、ハルツームで庶民が飲んでいるのは、あまーいジュース。ビールは、ビールは売ってないのか？

猛暑の中、店から店をさまよった。「ないよ」「アッラーの神にご加護あれ」。店主たちは「酒を求める堕落した日本人」を、蔑むような、憐れむような目で追い返す。

「そんなこと言わんと。本当はあるんやろ？」。ヨルダンやイラクでは店主の袖をつかみ、ドル札をちらつかせると「実は店の奥に…」。こっそり売ってくれる店があった。しかしハルツームは絶無。レストランでノンアルコールビールを注文。アラブのノンアルはただの黄色い水に泡が浮かんでいるだけ。さすがイスラム原理主義者のオサマ・ビンラディンをかくまっていた国である。

これから中東・イスラム圏への旅行を考えている「堕落した日本人」のみなさんにアドバイス。イラク、パキスタン、ヨルダン、アフガンなどは粘って探せば、ある。レバノン、トルコ、エジプトでは堂々とバーで飲める。北部スーダンやリビアは無理。おそらくメッカを抱えるサウジアラビアも無理だろう。ちなみにキリスト教徒が多い南スーダンではおおっぴらに飲める。ここで一句。

スーダンで／酒が切れたら／南下する。

南スーダンに入る

アフリカ大陸はサハラ砂漠で分断されていて砂漠より北は「アラブ・イスラム圏」、南は「ブラック・キリスト圏」だ。南北分離前のスーダンはアフリカ最大の国で、国内に「サハラ以北」と「サハラ以南」を抱えていた。スーダンがイギリス・エジプトから独立すると、南部の黒人は「2級市民」とされ、北が南を支配した。そんな「アラブ支配」に抵抗して、「南の黒人解放運動」が起こった。長い独立運動（つまり内戦だ）の末に黒人側が勝利。2011年7月に南スーダンが誕生する。

08年の訪問時は同一国だったので、「北部イスラム圏」のハルツームから、「よく落ちる」と評判の国内線に乗って「南部キリスト圏」のジュバへ。到着ロビーの売店に飛び込む。「あった！」。並んでいたのはツボルグ、ハイネケンなどの缶ビール。心の中で「キリスト万歳！」と叫びつつ

たった今、ウガンダから戻ってきた人々

「5本、いや10本ください！」。

ジュバの町は内戦で荒れ果てていた。ようやく平和になったので隣国ウガンダやケニアへ逃げていた難民が国連のバスに乗って次々と帰ってくる（右下の写真）。20年ぶりに帰還した難民たちの表情は明るかった。このまま平和が続けば石油の出る南スーダンは発展していくだろうと思った。しかし現実は甘くなかった。「北のアラブ政権」と戦っていた時は団結していた黒人解放運動が内部分裂。大統領派と副大統領派が石油利権をめぐって内戦を引き起こす。そんな南スーダンに２０１２年から17年、自衛隊が派兵されていた。このことについては後で。

象がいた！

08年6月、ジュバから国連機に乗り込んでウガンダとの国境の町ニムレへ飛んだ。国連機というと格好いいが、座席20席ほどの乗り合いバスのようなプロペラ機（写真）。国連職員と毎日新聞記者、そして私が乗り込み、いざ出発。この国連機、パイロットがサービス精神旺盛な人で「君たちに象を見せてあげる」。

国連機は白ナイル川に沿ったジャングル、地上すれすれを飛ぶ。「おかしいな、いるはずなんだが」。パイロットが首を傾げた頃、「いた！」。親子象がこちらに向かって鼻を突き上げている。「象はね、賢い動物なんだ。スーダンが内戦状態だった頃、機関銃や大砲の音を聞いて象はウガンダに逃げていた。内戦が終

プロペラ機の国連機

わり銃声が聞こえなくなったので、象も戻ってきたのさ」。パイロットの説明に納得。「そうか、象も難民やったんや」。

滑走路は「地道」だった

約1時間のフライトで、国連機は徐々に高度を下げていく。問題はどこに降りるか。ずっとジャングルが続き、町が見えてこない。

「滑走路は?」「あれだよ」。

パイロットが指差したのは、緑のジャングルを切り開いた一本の地道(写真)。

「あそこに降りるのか。大丈夫かな」。一抹の不安を胸に飛行機は着陸態勢に入る。しかしなかなか着陸しない。地道、いや滑走路の上空で旋回を繰り返す。「なんで着陸しないの?」「今、滑走路の先を牛の群れが通っている。通り過ぎるまで待つ」。

そうか、牛が優先か。やがて着陸。飛行機から小さなタイヤがニュッと出てきて、土煙を上げながら赤土の上を見事にランディング。ちなみに雨期になれば、辺り一面ドロドロになるので、着陸できない日が増える。地元住民や動物たちにとって雨は「命の水」だが、ニムレに行くなら乾期に限る。

「地道の滑走路」上空で旋回する

小学校は「木陰」だった

「空港」(と言っても、単なる赤土の道路だが)には国連の現地職員が待っていた。4輪駆動車に乗ってウガンダとの国境トゥルク村へ。村への道路は未舗装のデコボコ道。「雨季になれば、ぬかるんで通行不能だ」。国連職員が「支援できるのは乾季だけ」と説明してくれる。

青空学級の子どもたち

そんなデコボコ道を通過している時だった。ウガンダ側の草原からライフル銃を担いだ少年たちがこちらをじっと見つめている。国境警備兵だ。「まだ10代やな」。少年兵が多いと言われるアフリカ、その現実を垣間見る。

トゥルク村では「学校」を取材した。大きな木の下にユニセフの青い教科書を手にした子どもたち。「学校」と呼ばれていたのは校舎も黒板もない青空小学校、つまり「大木の木陰」だった。国連職員が車から「支援物資」を取り出す。今回の支援はポリオワクチン。アンプルを取り出して子どもたちに飲ませる。衛生状態が悪い国では今なおポリオが猛威を振るっている。ワクチン接種が終わり、「青空小学校」の子どもたちを撮影（写真）。この写真を撮影してから10年以上が経過した。この子どもたちは今頃どうしているのだろうか。

南スーダン再訪

２０１８年５月、満を持してジュバに入った。10年ぶりに訪れたジュバ、ＰＫＯ兵士を乗せた車がパトロールしていて、明らかに緊張の度合いが高まっていた。16年7月に勃発した内戦から2年。そして陸上自衛隊が撤退してから1年。国会では安倍首相が「戦闘ではなく衝突」。稲田朋美防衛大臣（当時）が、わずか7時間の視察で「ジュバは安全です」。

その後、破棄したはずの「日々報告」、つまり日報が出てきて稲田大臣が辞任。この時点で安倍内閣はモリ・カケ疑惑、南スーダン日報隠蔽で追い詰められていた。果たして自衛隊は本当に無事だったのか？ 支援活動、道路や橋などの建設は今、どうなっているのか？ 南スーダンの人々はどんな暮らしをしているのか？…。「ダニエル、まずはトルコビルだ！」「ニシ、あそこは厳重に警備されている。下手に近づいたら拘束されるぞ」。通訳のダニエルが難色を示す。「うまく取材できたらボーナスを払ってやるよ」。

トルコビルとはジュバ国際空港のすぐそば、トルコ資本が観光用に建てようとしたが、内戦が勃発。建設途中で放棄されている9階建てのビルだ。

トルコビルにそっと近づいていく。兵士が2人、玄関に寝そべっている。私たちの姿に気付いた兵士が、カラシニコフ銃を握りしめたままこちらに向かって歩いてくる。「日本から来たのか？ ビルに入るのは絶対にダメだ」。私には確信があった。「こいつらは金で落ちる」。

「南スーダンと日本は友人じゃないか。まずは握手だ」。密かに100ドル紙幣を握らせると、兵士の態度が急変する。「そうだな、10分、いや5分だけだ」。予感は的中。この国は上から下までワイロで動いている。ビルの階段を上がっていく。ときおり兵士が振り返る。私のカメラを指差し「絶対に俺は撮影するな」。5階の踊り場から下界を見下ろす。「ジャパニーズ・コンパウンド（自衛隊の宿営地）」ダニエルがつぶやく。**（左上の写真）**ビルの目の前に自衛隊の宿営地。16年7月8

郵便はがき

602-8790

料金受取人払郵便

西陣局
承認
9059

差出有効期間
2021年4月
30日まで

(切手を貼らずに
お出しください。)

(受取人)
京都市上京区堀川通出水西入

㈱かもがわ出版行

注文書

ご注文はできるだけお近くの書店にてお求め下さい。
直接小社へご注文の際は、裏面に必要事項をご記入の上、このハガキをご利用下さい。
代金は、同封の振込用紙(郵便局・コンビニ)でお支払い下さい。

書　名	冊数

ご購読ありがとうございました。今後の出版企画の参考にさせていただきますので下記アンケートにご協力をお願いします。

■購入された本のタイトル	ご購入先

■本書をどこでお知りになりましたか?

□新聞·雑誌広告…掲載紙誌名(　　　　　　　　　　　　　　　)
□書評·紹介記事…掲載紙誌名(　　　　　　　　　　　　　　　)
□書店で見て　□人にすすめられて　□弊社からの案内　□弊社ホームページ
□その他(　　　　　　　　　　　　　　　　　　　　　　　　　)

■この本をお読みになった感想、またご意見·ご要望などをお聞かせ下さい。

おところ　□□□-□□□□　☎

お(フリガナ) なまえ	年齢	性別
メールアドレス	ご職業	
お客様コード(6ケタ)		お持ちの方のみ

ールマガジン配信希望の方は、ホームページよりご登録下さい(無料です)。
RL: http://www.kamogawa.co.jp/
記入いただいたお客様の個人情報は上記の目的以外では使用いたしません。

日～10日、約200名の反政府軍がこのビルに立てこもった。ビルの北側に自衛隊、そしてその向こう側の空港に政府軍兵士が約400名！

トルコビルから自衛隊宿営地を見下ろす

やがて撃ち合いが始まり、自衛隊員の頭上を機関銃、ロケット弾が飛び交っていたのだ（下の図）。遺書を書いた隊員もいるし、この時の恐怖でPTSD（心的外傷後ストレス障害）になり帰国後自殺した人が2人。そして傷病死が1名。

だから日報を隠したのだ。日報には「戦闘が生起」「××に着弾」「○○が負傷」という緊迫した事態が記載されている。（××、○○は黒塗り）「戦闘ではなく衝突」「ジュバは安全」という国会答弁と公文書（この場合は日報）が整合しない時、この国では公文書が隠されたり、改ざんされたりする。傷病死1名は戦死ではないか？　日報隠蔽の闇は深いのだ。

左側のトルコビルに反政府軍が立てこもった

「地酒」に遭遇したが

ジュバ中心部からでこぼこ道をナイル川に向かって30分ほどドライブすれば、ロロゴ地区に入る。ここはアチェリー族という少数民族が住んでいて、人口は約5千人。部族長の許可を得て撮影開始。女性たちが大きな釜の前で寝そべっている。「食料を買うお金は?」「ないわ」「日本の自衛隊が派遣されたこと、知ってる」「知らないわ。へぇー道路を作っていたの?」「国連の支援は?」「そんなもの来やしない」。彼女たちは「UNと書かれた国連の車を見るだけよ」と口々に不満を述べた。じゃぁ、どうして食料を?「アルコールよ」。えっお酒?「この釜でね、すり潰した豆を煮て、蒸留させて作るのよ」。おばあさんがどこからか豆粒を持ってきて、「密造酒の作り方」を指南してくれる。これをペットボトルに入れて市場で売る。一本で60ポンド=約40円。試しに匂いを嗅がせてもらう。ツーンと強烈なアルコール臭。度数が高いウォッカ系の酒だ。「飲んでみる?」「俺は飲めないんだ」。即座に断る。昔、工業用のメチルアルコールを飲めば「目が散る」と言われていたが、めっちゃ身体に悪そうだ。

未完のジャパンロード

ロロゴ地区を出て、ナイル川に沿ってでこぼこ道を走る。極め付けの悪路を20分ほど進むと、綺麗に整地された大通りに出る。「ジャパンロード」。ダニエルがつぶやく。この道路こそ自衛隊が造っていた道なのだ(左の写真)。あとは舗装するだけ。しかしこの状態で戦闘が勃発し、工事は中断されている。「カメラダウン!兵士がいるぞ」ダニエルが叫ぶ。ビデオカメラは目立つので電話しているふりをしながらスマホで撮影。頭にバケツを乗せた女性とすれ違う。水道はもちろん井戸もないのでナイル川の水を汲みに出かけるのだ。掘っ建て小屋の教会がある。ここに地元住民を集めてインタビュー開始。

「内戦が起きてから自衛隊の姿を見なくなった。彼らはこの2年、何もしていないよ。道路？ あのままだろうね」。彼らは異口同音に不満を述べる。PKOでの自衛隊派兵は、隊員も恐怖で傷つき、地元住民も不満が残る結果となった。軍隊は目立つので狙われる。もっと違う方法で支援すべきだったと思う。

手前がジャパンロード、奥がナイル川への橋、どちらも工事は中断していた

大量の札束を抱えて

ジュバの繁華街は「コニョコニョ地区」と呼ばれる。「えっコニョコニョ？」「いや、コニョコニョ」。ダニエルに笑われる。商店街の一番奥まったところに巨大な避難民キャンプがある。内戦が勃発して避難民の数が膨れ上がり、約7千人が薄汚れたテントで暮らす。日本からの支援金で、食料を配布することにした。まずは市場で小麦や大豆の買い出し。戦争が起きた国はハイパーインフレになる。物が不足して通貨の価値が急落するのだ。闇の両替屋でまず100ドル（＝1万5千ポンド）を両替してみる。最高紙幣が50ポンド札なので、輪ゴムで束ねられた札束が出てくる（**次頁の写真**）。4千ドルを両替して市場で買い出し。大量の現金を大きな黒いビニール袋に隠しながら

の買い物になった。意外にも市場にはコメや小麦、野菜などがところ狭しと並んでいる。人々は飢えているのに。17年に発表された国連の統計によると、南スーダンでは約500万人もの人々が飢餓に直面している。物資が豊富なのになぜ？ ①多くの農民が内戦で土地を奪われた。②地球温暖化による気候変動でここ数年、まとまった雨が降らない。③ハイパーインフレによって輸入食品が急騰。ポンドしか持っていない人々は食料品を買えなくなった。この3点が主な理由。ではキャンプの中に入ってみよう。

100 ドル（1 万 1 千円）を両替するとこうなる

キャンプの中で

「カワジャ、カワジャ」（白人だ、白人だ）。子どもたちが私の姿を見てびっくりしている。泣いて逃げる子もいる。東洋人を見るのが初めてなんだろう、秋田のナマハゲになった気分。私の姿に慣れはじめた子どもたちがカメラの前に寄ってくる。女の子が口に物を運ぶ真似。そして細い両腕を差し出して「何かちょうだい」。明らかに飢えている。とあるテントに案内される。赤ちゃんが一人、横たわっている。その顔に無数のハエ。この子はハエを払う力もなく、ただ目に涙を浮かべるのみ（**左の写真**）。ハエは元気な子にはたからない。死期が近いことを知っているのだ。水分を求めたハエがこの子の涙を吸い取っていく。現実は残酷だ。自衛隊派兵に費やした費用は1年で約200億円だったと言われている。5年で1千億円。その半分、いや1割でいいから食糧支援に回していれば、この子は助かったのかもしれない。理不尽やなー。

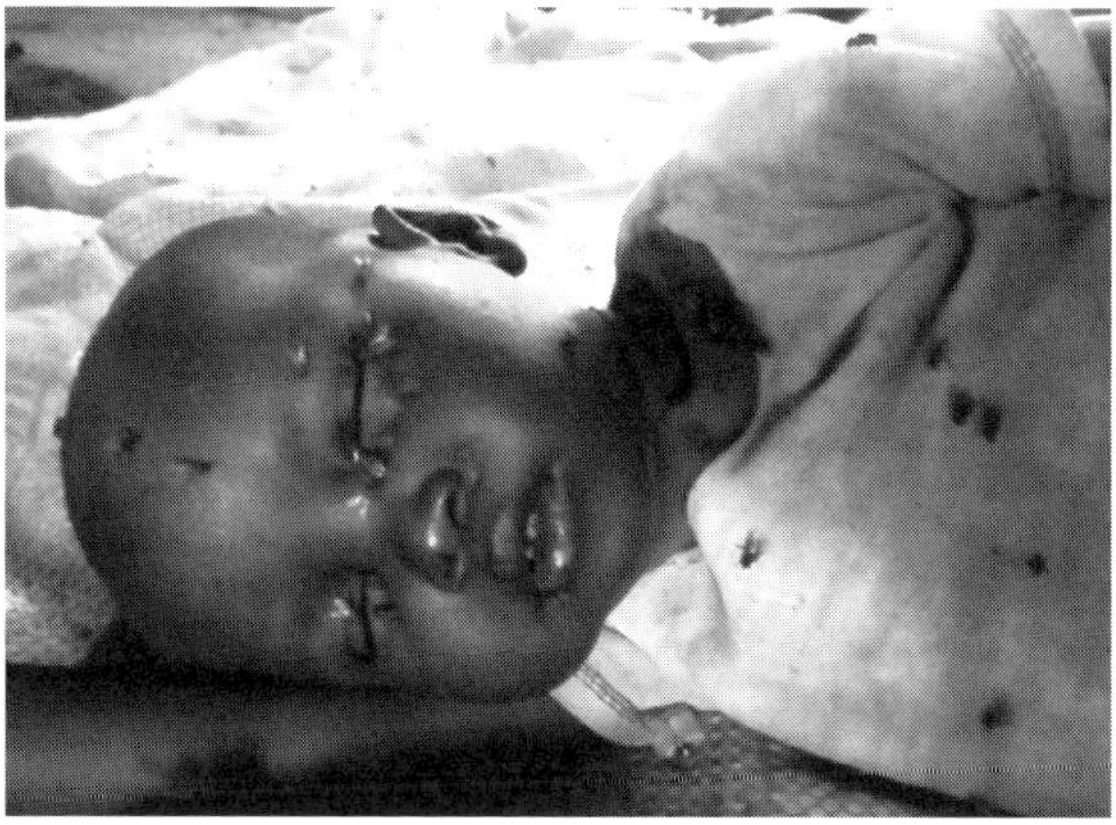
ハエは残酷だ。この子の涙を吸い取っていく

大発展を遂げた「冷たい水」

2017年2月。ケニアの首都ナイロビを訪れた。「赤道直下のナイロビはさぞかし暑いんやろなー」と思うでしょ？　ところがナイロビは1年を通して涼しく、予想以上に快適なのである。ナイロビとは地元マサイの言葉で「冷たい水」。標高1800メートルの高地にあって「常春」なのだ。ケニヤッタ国際空港に到着。入国審査のカウンターに走る。ここはアフリカ旅行の玄関口なので、観光客多数。たちまち長蛇の列ができる。入国審査官にビザ代金50ドルを支払い、簡単に入国。1995年、最初に訪問した時、ここは「ワイロ文化」がはびこっていた。わざと審査を遅らせて、マネーマネーとささやくヤツに当たってしまい、難儀したのを思い出す。この国も随分進歩したものだ。

外へ出ると気温20度。粉雪が舞い、凍てつく関空からやってきた身としては天国のようだ。タクシーを拾って市内中心部へ。治安改善に比例して、人口が急増しているのが今のナイロビ。「お客さん、ここから動かないよ」。運転手の言う通り、大渋滞に巻き込まれて歩いたほうが早いくらい。

高層ビルが立ち並び、ハイウェイが走る。「ここはホンマにアフリカ?」と感じるほどの近代都市だが、厳しい現実も垣間見える。渋滞に巻き込まれた車の間を、タバコ売り、新聞売り、そしてバナナ売りの人々がウインドーを叩く（写真）。貧富の差は確実に広がっている。

渋滞の車の間をバナナ売りが

首都でもサファリ

ナイロビの中心街からタクシーで30分も行けば「ナイロビ国立公園」がある。受付で5千ケニア・シリング（約5千円）を支払い、入場許可証をゲット。いざサファリに出発。

入場ゲートを越えると小さな森があって、森を抜けるとサバンナが広がる。まずはイボイノシシと遭遇。日本のイノシシよりも牙が大きいが、小さいのでそれほど怖くない。イボイノシシの方も人間を見慣れているのか、逃げずにじっとこちらを見ている。サバンナを車で疾走する。アカシアの灌木の向こうにナイロビの高層ビルが見える。

「バッファロー」。運転手が指差す方向に水牛が寝そべっている。小高い丘の上がビューポイント（観測所）になっていて、シマウマの親子やガゼルの群れが草を食べている。ここにはライオンもいるのだが、今はどこかで昼寝しているらしく姿を現すことはなかった。

さらに車を走らせる。「ジラフ！（キリンだ）」運転手が叫ぶ。大きなキリンがゆっくりと車に向かって歩いてくる。その向こうにナイロビの高層ビル（写真）。おそらくキリンやライオンの背後にマンションが見えるサファリは、世界でもここだけだろう。ケニアでのサファリはマサイマラ国立公園やアンボセリ国立公園が有名だが、遠いし料金も結構高め。もしナイロビに出張する機会があるなら、時間と予算が節約できる「ナイロビ国立公園」がおすすめだ。

キリンの向こうに高層ビルが見える

象牙の前で考える

ナイロビを歩いていると、「サファリ、サファリ！」としつこく声をかけてくる人々がいる。彼らは「もぐりの旅行社」で、私が日本人だと分かると、食いついてきてなかなか離れてくれない。日本人は上客のようで、マサイマラ国立公園などに連れて行くとかなり儲かるようだ。私は南スーダンに入るためにケニアに来たのだから、時間とお金のかかるサファリには行くつもりはない。しかしあまりにも熱心に勧誘されるので「疑似体験」してみたくなった。ナイロビ郊外にケニア国立博物館があって、そこに行けばケニアの歴史や絶滅が危惧されている動植物の写真、マサイ族はじめ少数部族の民芸品などが陳列されているのだ。

入場料1200シリング（約1200円）を支払って中へ。玄関ホールには巨大な、実物大のアフリカ象とキリンの剥製。ホールの壁から鹿や水牛の頭が突き出ている。趣味の悪い大金持ちの別荘に連れてこられた気分。

　ホールにはいくつか陳列棚があって、そこにケニア文化を象徴する品々が飾られている。象牙のホルンがあった（写真）。この象牙を求めてアフリカ象が密猟され、象は今や絶滅の危機にある。最近の調査によると、かつては約2千万頭いたアフリカ象が、今や約35万頭にまで激減しているらしい。象牙は高く売れるし現地の人々は貧困だ。この貧困問題を解決しないと密

象牙のホルン

猟はなくならない。陳列棚の横に例えば「コーヒーのフェアトレードで人々は密猟しなくても生活できるようになりました」「アフリカ象の保護と生育環境を守る仕事が発注され、密猟がなくなりました。今では象の個体数が増えています」などの掲示板が立つことを願う。

巨大スラムに潜入

ナイロビにはアフリカで最大規模の「キベラスラム」がある。わずか2.5キロ、東京ドーム50個分ほどの土地に推定100万人以上が暮らしている。ナイロビ全体の人口が約500万人と言われているので、5人に1人がこのキベラに住んでいることになる。

　スラムに入るには、まず露天が並ぶ「トイ・マーケット」を通過する。畳1畳くらいの露天がひしめき合って、迷路状態。ここでパンツを買う。「ナイロビは涼しい」と書いたが、日中の日差しは強

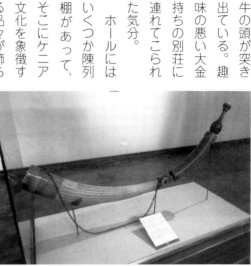

烈。1日歩けば汗びっしょりになる。パンツ、シャツは補充せねばならない。まけろ、まけないの壮絶な（?）交渉の末「ルイ・ビトン」のロゴが入ったパンツ1枚を100シリング（約100円）でゲット。本物なら激安だ。盗品だろうか? ここで高額紙幣を靴の中に隠して、お釣りの少額紙幣をポケット数ケ所に忍ばせる。結論から言うと人々は陽気で親切、そんな「強盗予防策」は全く必要がなかった。

マーケットを抜けて細い坂道を登る。丘を登りきったところがちょっとした尾根になっている。その尾根状の土地に鉄路が通っている。驚くことにこの鉄路、まだ現役で貨物列車が1日2回通るという。鉄路の両サイドにはやはり露店が出店していて、人々は鉄路の上を通行する（写真）。鉄路の上をしばらく歩くと、パッと視界が広がって、下界にはトタン屋根の掘っ建て小屋が延々と続いている。世界最大級のスラム、その大きさに圧倒される。

鉄路の上を歩く女性

ガイドブックには「治安が悪いので足を踏み入れないように」と書かれているが、そんなことを気にしていたら本当の姿はわからない。丘を下り、スラム内部のバラック小屋密集地帯へ。スラムはすり鉢状になっていて、最底辺に小川が流れている。丘の斜面にはバラック小屋が密集していて最上部には先ほどの鉄路が通る。未舗装の道に緑のホースが蛇のようにのたくっている。これが水道だった。ホースには所々穴が空いていて水が染み出している。逆にその穴から雑菌が入ってくる、衛生状態は最悪だ。

ケニア版「あしたのジョー」

なぜここに巨大なスラムができたのか？それはイギリスの植民地政策。インド洋に面するモンバサからナイロビまでイギリスは鉄道を敷設した。その労働

灯油販売所、ポリタンクでは高すぎて買えない

力として連れてこられた人々が、川沿いに住み始めてスラムが広がっていった。

人１人が辛うじて歩ける未舗装の道が迷路のように続いている。この道は雨季になればドロドロ、通称「チョコレート・ストリート」になるそうだ。スラム最下部、小川に沿って泥道を歩く。下水がないので川の水は黒く濁り悪臭を放っている。漫画「あしたのジョー」で泪橋が架かる小川が出てきた。「泪橋を逆に渡る＝出世して金持ちになってやる」が、ジョーの信念だった。あのケニア版。橋のたもとには炭が盛られたバケツが並んでいる。ストーブ用の灯油は「コップ単位で」売られている（写真）。黒く濁った川と簡易水道、そしてバラック小屋と石炭。昭和にタイムスリップしたみたいだった。

リッチだが日陰者

キベラスラムと並んで、ガイドブックに「絶対

入るな」と書かれているのが「イスリー地区」。現地の人々はここを正式名で呼ばない。みんな「モガディシオ」と呼ぶ。「モガディシオ」はソマリアの首都名。そう、この地区はケニアに逃げてきたソマリア難民が集団で住み着いた町なのだ。ケニア政府は幹線道路も上下水道も整備しない。だから少しの雨でも町は水

「ケニアのモガディシオ」。インフラは整備されていない

浸しになる（写真）。さぞ生活は貧しいだろうと思ったが、意外なことに難民たちはリッチだった。なぜか？　答えは亡命。隣国ケニアに逃げてきたソマリア人の中で、多少裕福な人々は欧米へ旅立っていった。その結果「イスリー地区」に居残った難民と欧米に逃げた難民の間に「ソマリア・ネットワーク」ができ上がったのだ。

　彼らが欧米貿易を取り仕切り、商売は繁盛。洋服店や雑貨店が軒を連ね、町は買い物客でごった返している。街角でインタビューを試みた。しかしみんな口が重い。なぜか？　それは周囲の警官や兵士。「貿易品」に混ざって、銃や麻薬が入ってくる。そしてナイロビで犯罪が起きると真っ先にここの人々が疑われる。「リッチだが、日陰者」。これがケニアにおけるソマリア難民の立場だった。

　2018年11月、アメリカの中間選挙でイルハン・オマルさん（37）がミネソタ州の下院議員に

当選した。元ソマリア難民の彼女は8歳でケニアに逃げてきて、12歳で米国へ。移民でムスリムの彼女が、トランプ大統領の進める「移民排斥」キャンペーンを打ち破って圧勝した。これは米国内の少数者たち、そして世界に広がったソマリア難民を大いに励ますものとなる。いつか「ケニアのモガディシオ」からも国会議員が出てきてほしいな。

エジプトの「革命広場」にて

２０１１年５月、内戦中のリビアを取材した。直接リビアに入るのは危険なので、まずはエジプトのカイロで情報収集。

大都市カイロの中心はタハリール広場。タハリールとは「解放」という意味でこの広場が「アラブの春」のメインステージだった。この年の1月から2月中旬にかけて、数万人のデモ隊が広場を占拠。2月11日金曜日、モスクでの礼拝をすませた１００万人を超える民衆が全土で蜂起、独裁者ムバラク大統領を打倒して「エジプト革命」が成就した。文字通り市民生活は「解放」されたのだが、その後のエジプトは紆余曲折を経て、また元の軍事独裁政権に逆戻りしている。（２０２０年３月現在）カイロ訪問時は革命からわずか３ヶ月。「解放広場」にはエジプト国旗が飾られ、「エジプト革

エジプトの「腐敗・汚職ワールドカップ」

命」を祝うグッズが販売されていた。面白かったのが「腐敗・汚職ワールドカップ」（右の写真）。独裁者ムバラクとその妻が「監督」で、政府官僚たちが選手としてノミネートされている。アラブの一番人気はサッカー。さて、中東版「汚職ワールドカップ」の優勝国は？　本命はサウジアラビア、リビアあたりか？　クウェート、UAE、レバノンなどもあなどれない。

ラクダ使いの悲哀

リビアに出発する前にピラミッドを見ておこう、と思い立ちカイロ郊外のギザへ。タクシーを降りるとラクダをつないだオヤジたちが「乗れ、乗れ」と迫ってくる。またたく間に十数頭のラクダに囲まれる。「アラブの春」で観光客が激減。「ラクダのエサも買えへんなー」「商売、代えなあかんなー」。毎日ヒマしているオヤジの前に、日本人が現れたのだ。交渉の末、7歳のオス「アリババ」に乗る（写真）。町の路地を抜けるとお墓があって、墓の背後に砂漠が迫っている。砂丘を登りきると、3つのピラミッドが姿を見せる。

「アリババ」に乗る

ピラミッドに夕日が沈む。歴史を感じるなー。しばし感傷に浸っていたいのにラクダの下からオヤジが顔を出して「バクシーシ、バクシーシ（チップちょうだい）」。

あれから10年近くが経過した。エジプトでもIS（イスラム国）のテロがあった。隣国イスラエルとガザの衝突も繰り返されている。観光客は激減したまま。あのオヤジたちは干上がっているだろう。観光も平和でないと成り立たない商売なのだから。

あなたもクフ王？

ギザからほんの少しドライブすると、団地越しに別のピラミッドが見えてくる。ビルの背後にピラミッド（写真）。日本でピラミッドというと、月の砂漠にそびえ立つ孤高のイメージだが、実際は周囲に「邪魔なビル」が林立しており、ここが大都会であることを思い知らされる。ピラミッドが見える丘の上にマンションが建設されている。その名も「ピラミッド・ハイツ」。エジプトのお金持ちが、風光明媚な一等地にセカンドハウスを建てようというのだ。

例えば京都でも宇治・平等院のすぐそばに高層マンションが建設されていたが、あれと同じ。「ピラミッドに住まう」「あなたもクフ王！」「月々1万ポンドで支払いも楽々」。こんなチラシがカイロで配られていたりして。

ビルの背後にピラミッドが見える

不思議な塔を発見

さて、カイロもここまで。車をチャーターして、いざリビアへと向かう。エジプトは高速道路が整備されていて快適なドライブ。そんな国道沿いに、奇妙な塔を発見した（**写真**）。乾いた赤土でできたこの塔は、人間が住むには少し小さめ。住居でなければ、宗教的な建物なのか？

近づいてよ～く見れば塔の表面に無数の小さな穴。穴の中から飛び出してくるのは、鳩ではないか。そう、これはエジプト農民が鳩を養殖するための「鳩のマンション」だった。何とこの塔1つに、数千羽の鳩が「居住」しているのだ。膨大な鳩の糞が肥料になるというから、これも「有機農業の一種」だろう。

エジプトの鳩小屋

日本ではヤキトリならぬ「ヤキバト」を食べる習慣はないが、エジプトやイラン、中国などでは、鳩は高級料理。普通のチキンよりもちょっと高めの値段設定。滋養強壮によいとされる鳩であるが、カイロのレストランで注文するときはある程度の覚悟を。何しろ「平和の象徴」である鳩が丸ごと焼かれて出てくるのだから。

リビア入国に成功

リビアは欧米列強によって3つの国が1つにされた国。西リビアは「トリポリタニア」で、フェニキア人が開いた地方。リビアの首都トリポリは、オエア、サブラータ、レプティス・マグナの3つの都市（ギリシャ語でトリ＝3・ポリス＝街）をまとめて命名されたもの。東リビアは「キレナイカ」と呼ばれていて、ギリシャ人が開発した地域。そして南のファッザーン地方を合わせてリビアとしたのだ。ちなみにエジプトとリビアの国境が真っすぐなのは、イタリアとイギリスが勝手に東経25度で線を引いたからだ。

　というわけで、もともと「東リビアの首都」であるベンガジはトリポリ政府、つまりカダフィー政権に対して「反抗的」であった。2011年

カダフィー人形が絞首刑になっていた

2月、「エジプト革命」に刺激された民衆がベンガジで一斉に蜂起。カダフィーは立ち上がった民衆を大虐殺し、平和なデモが内戦に転化した。多くの血の代償を経てベンガジは解放された。

「革命広場」にはカダフィー人形が絞首刑になっていた（写真）。野蛮だ、と感じる方もいるかもしれない。カダフィーは「政府を批判しただけ」の政治犯を公開処刑した。ベンガジの民衆に溜まり溜まった不満。「独裁者を吊るせ！」。民衆が過激になるのも無理ないのかもしれない。

「難民輸送船」を逆に乗る

リビア取材のハイライトは、今なお激戦が続くミスラタだ。ベンガジから車で行けば数時間の距離だが、途中にカダフィー軍支配地域があって、車で行けば殺される。ミスラタに行くには地中海を横切る船に乗らねばならない。その方法は「武器輸送船」に乗せてもらうこと。激戦地ミスラタ

で戦っている反カダフィー軍への武器はベンガジから供給されているのだった。しかしこの「武器輸送船」は貨物なのでスピードがでなくて武器を運んでいる。カダフィー軍の格好の標的なのであった。「これで行くのはちょっとなー」。躊躇していたら、運良く「難民高速輸送船」が就航を始めた。これでミスラタへ行けるぞ！

ベンガジ港へ。輸送船が停泊している。ミスラタからたった今逃げてきた人々だ（写真）。「よーこれだけ乗せたなー」感心しながらカメラを向けると、黒人たちは手を振って応えてくれる。「でもなんで黒人ばかり？」。

その答えはリビアの石油。産油国リビアはアフリカで最も裕福な国である。カダフィーの独裁下、自由はなかったけれど人々は豊かだった。内戦が勃発すると金持ちたちはすぐに逃げた。サハラ以南からやってきた貧しい出稼ぎ黒人たちは逃げ遅れ、虐殺の対象となったのだ。

この人たちはその後どうなったのか？　一部は欧州に渡って行ったのかもしれない。地図を見ればわかるが、イタリアのシチリー島が結構近い。つまり当時から「難民船」が地中海を渡っていたのだ。この1年後にシリア内戦が勃発。黒人たちだけでなく、数十万のシリア難民が貧弱なゴムボートに満載され、ここから欧州に渡って行った。この時期、難民を詰めるだけ詰めた

ベンガジ港にたどりついた難民輸送船

輸送船が沈没し、多くの命が奪われるニュースが世界を駆け巡った。この難民問題は、全ヨーロッパの「移民排斥」運動につながり、その流れで英国はEUを離脱してしまった。EUの素晴らしい理想と、それを歪める「自国第一主義」。トランプに代表される自分勝手な政治家と「アラブの春」で立ち上がった民衆。「みんな違ってみんないい」という潮流が勝利しなければならない。

黒人たちが下船した後、私たちが乗り込む。高速船といってもミスラタへは約20時間もかかる。乗客のほとんどが援軍の兵士とジャーナリストだった。ロイターの記者が「イエメンも大変だ。リビアよりも悲惨な内戦になるかもしれない」と語っていた。不幸にも彼の予想は的中している。

漆黒の闇の中、ミスラタ港に到着。武器輸送のトラックに乗せてもらって、指定されたホテルへ。電気も水道もない、かつての5つ星ホテルで、興奮しつつ眠りにつく。

ビルの穴は大中小

早朝から取材開始。市内中心部のメインストリートは「トリポリ通り」と呼ばれている。平和であればここからほんの数時間で首都トリポリだ。通りに面するビルは穴だらけになっていた。ビルが燃えて、瓦礫の山になっている光景は、3・11直後の東北と似た光景。地震と戦争は似ている。ビルが崩れ、燃え上がった民家のススが舞う。地震と違うのは破壊されたビルに穴が空いていること。戦車砲、ロケット弾、M22機関銃で空いた穴が、大、中、小と並んでいる。**(左上の写真)**

とあるビルの屋上へ。カダフィー軍のスナイパーがこのビルの屋上に陣取り、壁に穴を空けて、その穴から通行人を狙い撃っていた。カダフィー軍は外人部隊、つまり傭兵が主体で、ナイジェリア、チャド、マリなどブラックアフリカからの兵隊が多数。戦争経験があるコロンビアやセルビアからの女性兵士もいたという。驚いたのはその日当。地元リビア人は「一日3千ドル（約24万円！）」と噂していた。カダフィーはものすごいお金持だったのだ。

ビルには砲撃による大中小の穴

　壁穴から外を見る。トリポリ通りが一望できる。穴の周囲には安楽椅子とジュースの空き箱、食べかけのスナック菓子と無数の薬莢（写真）。

「ヤツらはくつろぎながら撃っていたのさ」通訳のバシールがつぶやく。そんな傭兵たちもNATOの空爆で殺されていった。

　ミスラタの野菜市場へ。内戦中、カダフィー軍はここに戦車を隠していた。天井があるので見えないと思ったのだろう。しかし今や赤外線で透視できる。NATOの戦闘機は正確に戦車を空爆していた（次頁の写真）。悪臭が漂う。カダフィー軍兵士の遺体が数日

スナイパーが狙い撃つための穴

前までここに放置されて腐っていたのだ。いろんな場所で遺体の臭いを嗅いできたが、人間の死臭は犬や猫の数十倍きつい。

ミスラタの野菜市場、空爆による穴と戦車の残骸

カダフィーにイスラエルの武器

ミスラタ市内中心部に、ちょっとした公民館のような建物があって、そこにカダフィー軍に殺害された市民の写真や使用された武器などが陳列されている（写真）。

この公民館の入り口には「カダフィーじゅうたん」が敷かれていて、人々は思いっきり彼の顔を踏みつけてから入場する。

武器陳列場の前で兵士が説明してくれる。「このロケット弾はフランス製で、戦車砲はアメリカ製。そっちのクラ

内戦で使用された武器。イスラエルや米国製もあった

スター爆弾はイスラエル製だよ」。何のことはない、カダフィーと敵対していたはずのイスラエルやアメリカ。武器の取引が儲かるので、せっせと輸出していたのだ。戦争は「一皮むけば茶番劇」なのだと感じる。

最前線でティータイム

ミスラタ滞在3日目、いよいよ最前線に向かう。市内中心部からトリポリ通りを西へ約30キロ、検問を通過すると破壊されたドライブインがあって、国道を大きなトレーラーが遮断している。トレーラーの周囲には土が盛ってあって、その盛土が「前線」であった。バンバンバンッ、いきなり銃声が響く。車を降りて、前線の盛土まで走る。戦車に乗り込んだ兵士が双眼鏡で相手側を眺めている。「撃て!」轟音とともに、機関砲が放たれる（写真）。5キロ先に陣取るカダフィー軍との交戦。

「よく来たな、まぁ茶でも飲め」。「えっ、こんなところでお茶飲まなあかんの、早く取材させて。早くここから離れたいよー」。心の中で泣きながら、引きつりながらお茶を飲む。そうしている間にも敵側は迫撃弾を撃ち込んでくる。数百メートル離れた民家から煙が上がる。あそこに着弾したようだ。

「カダフィーのロケット弾だ。大丈夫、当たらないよ。インシャッラー（神がお望みならば）」。

前線で。対空機関砲を水平にして敵を狙う

インシャッラーって…。またまた引きつりながら笑うしかない。

「昨日は5人殺されたが、俺たちも10人撃ち殺した。今日はまだ一人も死んでいないぞ、インシャッラー」。

3、2、1、ズドーン。重機関砲が火を吹く。すると、あちら側から迫撃弾。煙との距離が近づいてくる。迫撃弾とは文字どおり「迫ってくる砲弾」で、相手との距離を測りながら撃ってくるのだ。これヤバいんと違うの？　早々に現場を立ち去る。

同日夕刻、あの前線にロケット弾が命中し、地元ラジオ局のレポーターが殺された、というニュースが飛び込む。どこがインシャッラーやねん！　あの兵士たちにツッコミを入れたくなるが、殺されたレポーターもあそこでお茶を飲まされていたのだろうか。

松島幸太朗選手との思い出

1995年11月、アフリカ一人旅に出た。当時の私は大阪・吹田市役所に勤務していた。ソニーのウォークマンが発売された頃で、通勤電車の中でNHKラジオ英会話をひたすら聞いた。3年ほどで「大阪弁の英語」を習得。有給休暇を使って目指したのは南アフリカ。当時はアパルトヘイトが終了したばかり。訪問テーマは「本当に黒人差別はなくなったのか？」。

飛行機は首都ヨハネスブルグ郊外で高度を落とす。町並みが見えてくる。豪華な白人の家が眼下に広がる。その一軒一軒の大きいこと。家の庭がきらきらと光っている。庭にプールがあるのだ。空港で松島多恵子さんと待ち合わせ。彼女はこの地で黒人解放運動を取材して日本に発信していたジャーナリスト。当時の私の英語は貧弱で（今も?:）、手助けしてもらおうと思って事前に連絡を取っていたのだ。

「いいですよ、私の家に泊まって取材してください」。松島さんの好意に甘えてホームステイ。彼女はジンバブエ出身のロドリック氏と結婚していて2歳の息子、幸太朗くんがいた。庭でサッカーをすると、幸太朗くんのキック力は力強い。相撲を取ってあげるとケラケラと笑って、挑みかかってくる。「体幹のしっかりした子やなー」と感心していた。この後松島母子は日本にやってくる。ロドリック氏は早世するが幸太朗くんは見事に成長し、ラグビーW杯で5つのトライを挙げた。

松島さん親子と女性解放活動家

松島母子と黒人居住区ソゥエトに行った。1976年6月、この地で人種差別に反発する黒人たちが一斉に蜂起。反アパルトヘイト、黒人解放運動の起点になった街、興味ある方は「ソウェト蜂起」でググってみてほしい。松島さんと親交のあった女性活動家たちと記念撮影（写真）。幸太朗くんの大活躍をソゥエトの人々も喜んでいることだろう。

「大地の裂け目」に圧倒される

松島家に1週間ほどホームステイさせてもらってから、ジンバブエのビクトリアタウンに飛んだ。豊かな緑、国立公園に囲まれた小さな田舎町にイギリス、フランスなどから旅行者がどっと押し寄せてきていた。ここには世界3大瀑布の1つビクトリアの滝があり、アジアや北米に飽きたヨーロッパの人々が「アフリカ観光」に乗り出してきた頃だった。

　滝の入り口には外国人25、現地人5ジンバブエ・ドルという看板。外貨獲得のため、外国人料金が設定されていた。入場料を払って中へ。入り口にこの滝を発見したリビングストンの像が建っている。圧倒された、その雄大さ、深さに。日本では奥深い山、上流からの水が滝となって海へそそぐ、

ビクトリアの滝

というのが滝のイメージ。つまり滝とは下から見上げるもの、である。しかしこの滝は真逆。こちらジンバブエ側も対岸のザンビア側も平坦な高地。ゆったりと流れてきたザンベジ川が突如「ビクトリア断崖」へ、奈落の底へ落ちていく。ここは地球の裂け目、北はヨルダンの死海からアフリカとアラビア半島を分ける紅海へ、そしてこの滝へと大地構帯が続いているのだ（写真）。

　大地はゆっくりと動いている。ハワイと日本はどんどん近づいている。ここはどんどん離れている。滝の名物はバンジージャンプ。「やってみようかな、やっぱ怖い」。金払ってまで怖い目をせんでもええ、意気地なしの私を慰める別の私がいた。

ドジな失敗第1号

ジンバブエはかつて「南ローデシア」という名の英領植民地だった。白人支配に抗した黒人たちの独立運動が激化。内戦を経て、１９８０年にジ

ンバブエ共和国が誕生。首都ハラレには「ナショナルアチーブ」（国家達成）という公園があって、1980という大きな花文字。黒人解放の父・初代大統領のムガベは、その後「英雄」から「独裁」に転じて、なんとその座に37年間も居座った（2017年にクーデターで辞任）。取材当時もこの大統領に興味があったので、タクシーで大統領官邸へ。「ハラレの観光客は増えているの？」「ハラレは標高千メートルだ」。ドライバー、ムリロの答え。当時から私の英語力はこんなものだ。大統領官邸は撮影禁止。官邸を過ぎても高級住宅街が続く。「メンギスツを知ってる？」。ムリロの説明によると、エチオピアの前大統領がここで亡命しているらしい。メンギスツの邸宅へ。「きれいな豪邸やなー」。写真を撮っていると「何してる？」「いや、写真を…」屈強な警官2人に羽交い締めにされ、パトカーで警察へ。独房で尋問されること数時間。私の数ある「秘密警察、拘束事件」の始まりはジンバブエだった。釈放され、ムリロの自宅へ。妻と子どもが迎えてくれる（写真）。「すまん、メンギスツ暗殺未遂事件があったばかりで警官も気が立っていたんだ」。それを早く言えよなー。メンギスツは数10万人を粛正し、100万人を越える難民を出したエチオピアの独裁者だった。独裁者が独裁者を頼って、ここに逃げてきていたのだった。写真撮っただけやのに…。「お気楽日本人」の心が、かなり折れてしまったジンバブエだった。

秘密警察から解放されて、ホッと一息

ルワンダ・アンゴラを訪問して

アフリカの奇跡・ルワンダ

２０１８年２月、アフリカ中央部のルワンダに入った。ルワンダは「千の丘の国」と呼ばれ、人口密度はアフリカ最大。治安が良くて女性国会議員の比率は世界一位。「世界で一番安全にマウンテンゴリラに出会える国」として観光客も急増している。首都キガリには「ルワンダ虐殺記念館」がある。（写真）いまでこそ平和なルワンダだが、ほんの20数年前に信じられない規模の大虐殺があった。１９９４年４月から７月にかけて、多数派フツ族が少数派のツチ族と、ツチをかばう「穏健派フツ族」を連日殺害していったのだ。犠牲者は１００万人以上！ 約１００日間にわたって１日１万人！が延々と殺され続けた。

3ケ月で100万人以上が殺されたルワンダ

なぜこんなことが？ その答えは虐殺記念館の中にあった。

鼻の高さで民族分断

「コロニアルタイム（植民地時代）」。虐殺記念館の最初の部屋は、この国を支配した宗主国ベルギーにスポットを当てている。１９３２年ベルギーは身分証明書の所持を国民に義務づける。合計で18あった部族のうち、肌の色、鼻の高さでフツ族、ツチ族に分けて行った(写真)。ベルギーは「鼻が高く色白でヨーロッパ的だ」と少数者のツチ(約14%)に牛を10頭以上、多数者のフツ(約85%)に10頭以下を与えた。この法律はツチ、フツの子孫にも適用された。この分断政策が人々の間に憎悪を生じさせる。「それまでのルワンダは牧歌的で一つの言葉、一つの宗教。部族間で普通に結婚し、民族の違いなど意識していなかった」。上映された映像の最後「ワンピープル、ワンピープル(国民は一つだったのに)」。女性の解説が館内に響く。もともと「ワンピープル」なのだから、誰がフツで誰がツチか、現地の人でもすぐに判別できたわけではない。無理やりツチと決められた少数派の人々が上に立ち、それ以外のフツが抑圧される。1958年に国王が死去すると、ルワンダ各地で独立運動が沸き起こり、62年ルワンダ独立。普通選挙が実施されると今度は多数のフツが勝利。ここで支配関係が逆転し、少数のツチが弾圧されていく。

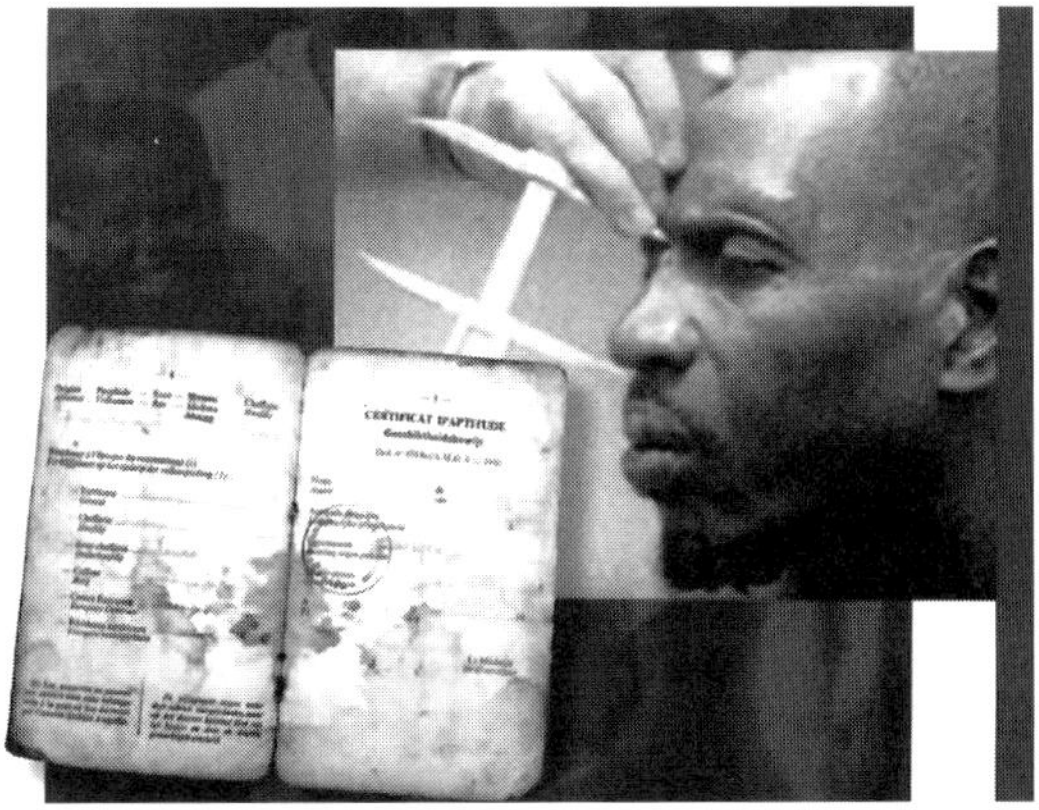

ベルギーが鼻の高さ肌の色で民族を分けていた

恐ろしい教育支配が始まった

「虐殺記念館」には初代大統領カイバンダの写真があって「フツとツチは違う。一緒に住むな、ツチに同情するな」という彼の言葉が記されている。やがてツチが迫害され小規模な虐殺事件が勃発し、ツチの人々はその多くが難民となった。73

年のクーデターで権力を握ったハバリマーナ大統領は、より巧妙で強烈なツチ弾圧政治を進める。「虐殺記念館」の写真から当時の様子がわかる。ツチの子どもが一人だけ黒い制服で（他の子どもは白の制服）ポツンと座らされている（写真）。学校で「フツは偉大だ、ツチはゴキブリだ」と教育された若者たちがフツの民兵になる（下の写真）。彼らはインテラハムエ、現地語で「共に攻撃する者」と呼ばれた。このインテラハムエこそ、後の大虐殺の実行者である。

ツチの子ども（右、手前）だけ黒の制服で隔離されている

あおるメディア、踊らされる国民

教育と並行して進められたのがプロパガンダ。フツ政府の支援を受けた「カングラ新聞」がヘイト記事を書き始める。「ツチは商売に汚い。信用するな」「ツチ女性と結婚したフツは裏切り者とみなす」などなど。当時は文字を読める人が少なくテレビが普及していなか

ヘイトを教えられた若者たちが民兵になった

ったので、猛威を振るったのが「ラジオ・ミルコリンズ」だった。このラジオ局は「カングラ新聞」の記事を読み上げ、そして叫んだ。「今、ツチを殺さないと今度はフツが殺されるぞ」（写真）。

そして運命の4月6日、ルワンダ大統領を乗せた飛行機が首都キガリの空港に着陸寸前、何者かのロケット弾攻撃で撃墜されてしまうのだ。「ラジオ・ミルコリンズ」は根拠なく「ツチの仕業だ！ ツチとツチをかばうフツ穏健派を皆殺しにしろ！」と騒ぎ立てる。そして「虐殺名簿」に基づいて大虐殺が始まった。虐殺は自然発生的に、無差別に行われたのではなかった。かつてベルギーが導入した身分証明書に基づき、ルワンダ政府は「虐殺名簿」をあらかじめ用意していたのだ。

右がヘイト新聞の編集者、左がラジオでヘイトをあおったディレクター

デマを信じて切ってみたが…

虐殺は「捕まったら殺される鬼ごっこ」のようだった。日の出とともにインテレハムエがやってくる。人々は必死で逃げる。教会に逃げた人は集団で殺された。森の中に身を隠す人、川に飛び込む人、平原をひたすら走って逃げる人…。やがて日が暮れる。人々はその場で一夜を過ごす。そして日が昇りまた「鬼ごっこ」が始まる…。

虐殺記念館には生存者の映像証言が残されている。

「インテレハムエは夫を殺害し、遺体を2つに引き裂きました。『ツチの体には血ではなくミルクが流れている』というデマを確かめるために」。もちろん出てきたのは真っ赤な血、遺体は川に投げ捨てられた。

日本でも関東大震災の直後に「朝鮮人が井戸に毒を投げ入れた」というデマを信じた人々が、多数の朝鮮人を殺してしまった。虐殺記念館に展示された頭蓋骨には穴が開いたものがある（写真）。「殺さないで」。ひざまずく人々を山刀で一撃したのだ。ヘイトスピーチやフェイクニュースが人々の心を捉えたとき、人は鬼になる。

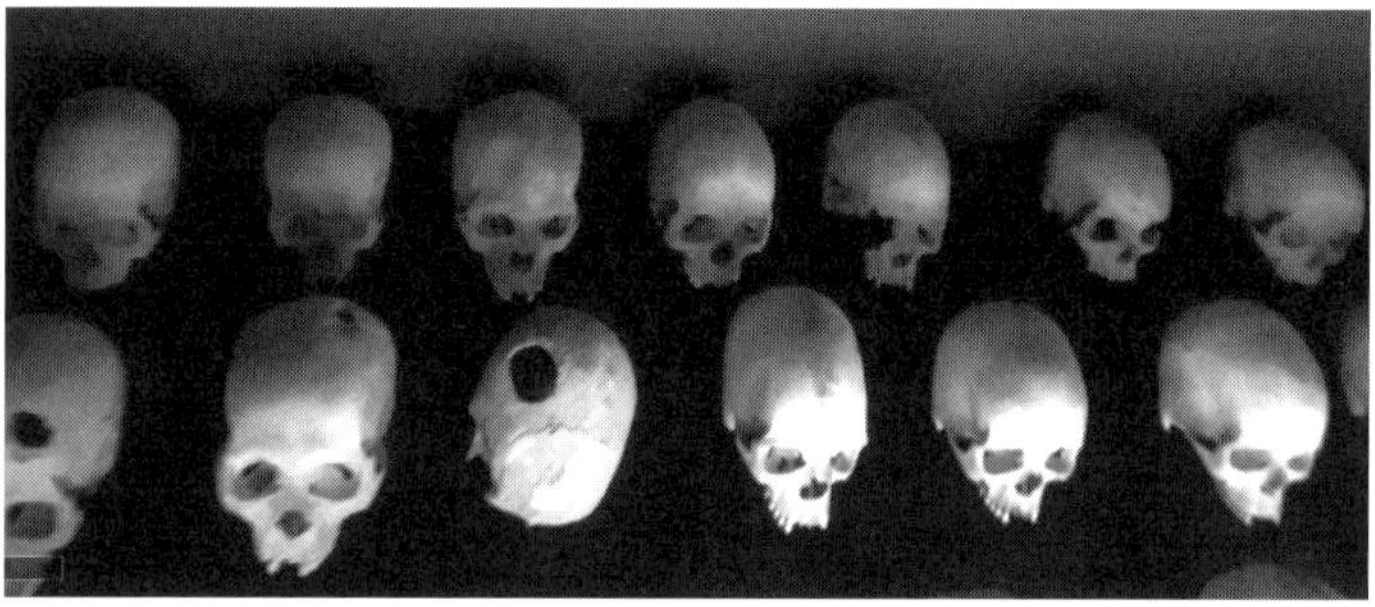

頭骸骨に穴の開いたものも多数あった

ルワンダ大虐殺から20数年が経過した。「メキシコ移民は犯罪者だ」なんの根拠もなく人を犯罪者扱いする人物が米国の大統領になっている。「（辺野古の）サンゴは移設されています」。完全なウソをテレビで語る首相がいる。「従軍慰安婦はデマですわ」というデマを平然と口にする市長もいる。フェイクニュースやヘイトスピートは過去のものではない。私たちは今こそ「ルワンダの教訓」に学ばねばならない。

泣きっ面にハチ・アンゴラ入国

2018年5月、アフリカ西部のアンゴラに入った。「アンゴラ？　どこそれ？」「コンゴの下、ナミビアの上」「だから、どこ？」まぁ日本ではこんな感じだろう。首都ルアンダは大西洋に面した港町。この国は海岸部に石油、内陸部にダイヤモンドが産出される。だから2002年に長い長い内戦が終わると各国からの投資が集中、首都ルアンダのメインストリートは片側4車線の高速道路並み。20～30階建ての高級ホテルやショッピングモールが建設されて、さながら「ミニ・ドバイ」の様相だ（写真）。

首都ルアンダはミニドバイのよう

　アンゴラにはエチオピア経由で入った。アジスアベバ発ルアンダ行きの飛行機は早朝に飛ぶ。前夜にアジスアベバのホテルに投宿。念のため財布を金庫に入れて街へ繰り出す。屋台でポテトフライと赤ワインを買ってホテルに戻り、しこたま飲む。早朝、モーニングコールで叩き起こされる。「早く支度しろ、遅れるぞ」受付に急かされて空港へ。アンゴラ到着。タクシーに乗り、予約したホテルを目指す。やれやれ。車内でくつろぎながら鞄の中をチェック「さ、財布がない」。あの金庫の中に千ドル（約11万円）入りの財布が眠っている。現金はポケットに忍ばせた200ドルだけ。悪いことは重なるもの。このタクシー、異様にメーターが早く回転しているではないか。やられた！「メーター詐欺」だ。実はルアンダの物価は東京、ニューヨークなどを抜いて世界一高いのだ。「メーターを止めろ！」と叫ぶも、ここはポルトガル語圏。英語は通じない。泣く泣く1万5千クワンザ（約6千円）取られる。「消費税10％取られた上に年金カット」のような悔しさ。あーこの先どうなることやら。

まっすぐ西へ行けばブラジルだ

　アフリカ大陸を「ひよっとこの横顔」に見立てると、出っ張ったおでこのところがギニア、くびれた目に位置するのがガーナやナイジェリア、鼻に当たるのがアンゴラになる。高校時代に大陸移動説を学んだ時、アフリカと南米が同じ大地だったことを知り感動した。ブラジルの出っ張りとアンゴラのくぼみ、ピッタリと合うではないか。「大地はつながっていた、大西洋は大陸が分裂して出来たんだ！」。17〜18世紀、西洋の支配者はアンゴラで奴隷狩りを行い、捕捉した黒人たちをブラジルに送り込んだ。ブラジルに広がるサトウキビ畑、コーヒーの普及とともに広がる砂糖文化。ポルトガル人たちはさとうきび畑の労働を黒人に強いたのである。地図を見ればわかるようにアンゴラの首都ルアンダから西へ真っ直ぐ進めばブラジルのサルバドール。星の位置で緯度を確かめて航海すれば、確実に到着できる。

　奴隷博物館はかつて奴隷を輸出した港に建てられている。黒人奴隷はカリブ海にも送られた。サッカーの王様ペレやレゲエの神様ボブ・マーリーのルーツはアンゴラの可能性が高い。奴隷博物館へ（写真）。受付には誰もいなくて訪問者はゼロ、扉には鍵がかかっている。周囲の人々が「館長はアントニオだ」。アントニオはハンバーガーをほおばりながら現れた。ガンガンガン、扉にアントニオがパンチを入れる。扉が開

アンゴラの奴隷博物館

いた！　鍵はなかったのだ。博物館は国営でアントニオは公務員のはず。勤務は自由で鍵もない。ここでは公務員も「奴隷解放」されているのだった。

常識が非常識になるとき

「奴隷博物館」の玄関に大きな地図があって、「奴隷の輸出先」が示されている。最初の部屋には奴隷狩り用の猟銃や弓矢、脱走防止用の足かせ手かせが展示されている。次の部屋には絵画が並んでいる。ポルトガル人が奴隷の品定めをする様子や、奴隷でいっぱいになった船内の様子などが大きな絵になっている。最後の部屋には木彫りの彫刻（写真）。

　私は中学校や高校の平和授業に招かれることがよくあり、そこでシリアやアフガンなど現代の戦争について話をする。授業終了後「戦争はなくなると思いますか？」という質問がよく出る。約200年前まで奴隷貿易は合法だった。今、同じことをすれば拉致監禁、人身売買で重罪だ。75年前まで日本女性には選挙権がなかった。今、男女に等しく選挙権は常識。何十年後かの授業。「争いごとを戦争で解決していた時代があった」。先生の言葉に「紛争は話し合いで解決、そんなの常識！」。生徒たちがこのように反応する時代がやってくるはず。私の答えは「戦争はなくなります。早いか遅いか。それは君たちの世代にかかっています」。

「奴隷にされた人の嘆き」の彫刻

おわりに

2020年2月、私はホルムズ海峡に面した小さな漁村ハッサブに入った。対岸のイランまでわずか60キロ、よく晴れた日にはイランが見えるし、港にはイラン人漁師たちがその日採れた魚をハッサブまで売りに来るという。米国とイランの緊張が高まる中、この漁師たちは何を思っているのか、海峡を通過するタンカーは1日あたりどれくらいの数なのか、米国中心の多国籍軍とイラン軍はどのように向き合っているのか…。そんな中、閣議決定だけで自衛隊が派兵された。現地は本当に安全か、自衛隊は何をどこまでやらねばならないのか。そんなことを知りたくて静かな漁村に足を踏み入れたわけだ。

「ダメだよ。外国人は港には入れない」。そうだろうな。軍事機密満載のホルムズ海峡、ましてイランの司令官が殺害されたばかりで、トランプ大統領とハメネイ師は互いに罵り合っている関係だ。軍や警察は普段より警戒を強め、うまく忍び込んだとしても「どこの馬の骨かわからぬジャーナリスト」は拘束され、撮影したビデオを没収されるのがオチだ。

港を諦め、オマーンの首都マスカットへ。実はハッサブはオマーンの飛び地で、マスカットに行くには、オマーン⇩UAE⇩オマーンと2回の国境越えをしなければならない。これがやたらと面倒だ。「週2回、船が出てるよ。船なら国境は関係ない」。えっ、船が出てる? もしかして…。

船内からだと警察や軍に見つからないし、撮影は自由だ。これはいけるかも。

ハッサブ発マスカット行きの船はホルムズ海峡を抜けてオマーン湾に入る。自衛隊はまさにこの海で「調査・研究活動」を行うのだ。

出港して1時間半後、船体に「LPG（液化天然ガス）」と書かれた巨大なタンカーが現れた。これに大型貨物船が続く。「なんやこれ、まるで『大型船銀座』やないか」（写真）。海峡を通過する船舶の数は予想以上だった。365日、24時間、大量の船舶が通過するペルシャ湾とオマーン湾。イランが「その気」になれば、確実に破壊されてしまうだろう。「武力で守る」ことは不可能だ。

おそらく東京オリンピックや芸能人の麻薬などで自衛隊の中東派兵は忘れさられていくだろう。イランと極めて近い距離で「調査研究」した情報は、米国に提供される。これはイランから見れば「敵対行為」になる。自衛隊員の身の上に何も起こらず、無事に帰還されることを願う。

さて、この「地球の歩き方・下」は毎日新聞に連載されたコラムを大幅に書き直し、書き下ろしを加えたものである。各地で講演する際に「上が売れなかったら、下が出ないんです」と泣きついた結果、下が出版されることになった。今後もコラムは続いていくので、この本を手にされたみなさんが「『続・地球の歩き方』を読みたい」と声をあげてくだされば（笑）、続きが書けるかもしれない。そうなることを期待しつつ、一旦ここで筆を置くことにする。（砂漠の中のオアシス都市・マスカットにて）

ホルムズ海峡は「大型船銀座」だった

西谷 文和（にしたに・ふみかず）
吹田市役所勤務を経て、現在フリージャーナリスト、イラクの子どもを救う会代表。2006年度「平和協同ジャーナリスト大賞」を受賞。テレビ、ラジオで紛争地の取材に基づいて戦争の悲惨さを伝えている。著書に、『戦火の子どもたちに学んだこと－アフガン、イラクから福島までの取材ノート』『「テロとの戦い」をうたがえ』（以上、かもがわ出版）『戦争はウソから始まる』（日本機関紙出版センター）など。

西谷流地球の歩き方〈下〉
—アフガン＆ヨーロッパ、アフリカの片隅で

2020年4月25日　第1刷発行

著　者　© 西谷文和
発行者　竹村正治
発行所　株式会社かもがわ出版
〒602-8119　京都市上京区堀川通出水西入
TEL075-432-2868　FAX075-432-2869
振替 01010-5-12436
ホームページ http://www.kamogawa.co.jp
印刷所　シナノ書籍印刷株式会社

ISBN978-4-7803-1087-0 C0036